Michael Stü
Deutsche F

SERIE PIPER
Band 957

Zu diesem Buch

Dieses Buch faßt in der »Frankfurter Allgemeinen Zeitung« erschienene Kolumnen der Jahre 1985 bis 1988 zusammen. Das Verbindende ist die Frage nach der inneren und äußeren Staatsräson. Es geht um das, was Gemeinwesen jenseits von Wohlfahrt und Wohlstand zusammenhält, und es geht um Gewicht und Interesse der Bundesrepublik Deutschland im Ost-West-Verhältnis.

Eine florierende Wirtschaft zählt zu den wichtigen Voraussetzungen für politische Vernunft und Berechenbarkeit eines Landes nach innen und außen. Wäre aber die Bundesrepublik nur »eine Wirtschaft auf der Suche nach politischem Daseinszweck« (Henry Kissinger), so hätten die Deutschen Schwierigkeiten, ihre Rolle in der Pax Atlantica zu spielen.

Michael Stürmer plädiert mit diesem Buch für außenpolitischen Realismus und einen europäischen Patriotismus der Deutschen, der sich der Geschichte stellt, die Freiheit liebt und Mut hat zu den eigenen Überzeugungen.

Michael Stürmer, geboren 1938 in Kassel, seit 1973 o. Professor für Mittlere und Neuere Geschichte an der Friedrich-Alexander-Universität Erlangen-Nürnberg. Harvard University 1976/77, Institute for Advanced Study in Princeton 1977/78, Professeur associé Sorbonne. Seit 1.4.1988 Direktor der Stiftung Wissenschaft und Politik, Ebenhausen. Arbeitsgebiete: Kulturgeschichte 17./18. Jhdt., Internationale Beziehungen, Verfassungsgeschichte 19./20. Jhdt. Jüngste Veröffentlichungen u. a.: »Handwerk und höfische Kultur« (1981); »Das ruhelose Reich. Deutschland 1866–1918« (1983); »Dissonanzen des Fortschritts. Essays über Geschichte und Politik in Deutschland« (Piper Verlag 1986); »Scherben des Glücks. Klassizismus und Revolution« (1987).

Michael Stürmer

Deutsche Fragen
oder Die Suche nach der
Staatsräson

Historisch-politische
Kolumnen

Piper
München Zürich

Von Michael Stürmer liegen
in der Serie Piper außerdem vor:
Herbst des Alten Handwerks (Hrsg., 515)
Bismarck – Die Grenzen der Politik (5224)

ISBN 3-492-10957-8
Originalausgabe
Mai 1988
© R. Piper GmbH & Co. KG, München 1988
Umschlag: Federico Luci,
unter Verwendung einer Abbildung der Deutschen
Forschungs- und Versuchsanstalt für Luft- und
Raumfahrt e. V., Oberpfaffenhofen/Weßling
Photo Umschlagrückseite: Gertrud Glasow
Gesamtherstellung: Clausen & Bosse, Leck
Printed in Germany

»Nous avons tous besoin d'une conscience nationale allemande ferme, droite, pure, affirmée sans inhibition comme sans arrogance, avec une tranquille transparence. Nous en avons besoin pour tout ce qui est essentiel:

– Pour poursuivre la construction de l'Europe.

– Pour maintenir et consolider des relations de confiance et de solidarité entre les Etats-Unis et l'Europe au sein de l'Alliance vitale pour tous.

– Pour que l'Europe puisse enfin assumer des responsabilités plus directes dans l'organisation de sa propre sécurité afin qu'elle échappe au sentiment qu'elle n'est plus qu'un espace indifférencié dans un équilibre stratégique global qui ne la concerne presque plus, sauf par la menace de terribles destructions.

– Pour répondre avec la plus grande efficacité possible aux appels que nous adresse l'Europe captive, y compris la partie orientale de l'Allemagne.

– Pour que s'établissent enfin avec l'URSS des relations dignes et franches, mettant fin chez les Européens de l'Ouest aux surenchères, aux attitudes rivales dans la recherche des faveurs de Moscou, et rendant donc praticable *une politique d'ouverture et de fermeté conjuguées à l'égard des Soviétiques*, politique que l'ère nucléaire exige et qui est la seule que les démocraties occidentales puissent à la longue faire approuver par leurs opinions publiques. La seule aussi qui puisse assumer sans crises majeures, sans déchirures internes du camp occidental, des situations aussi complexes et douloureuses que celle de l'Allemagne divisée.«*

Jean-Marie Soutou, 1985

* Übersetzung auf S. 203.

Jean-Marie Soutou, Mann der Résistance, Generalsekretär des französischen Außenministeriums, Lehrer und Freund. Ihm und *Joseph Rovan*, Professor emeritus der Sorbonne, ist dieses Buch im Geiste Cassiodors gewidmet.

Erlangen, Februar 1988   *M. S.*

Inhaltsverzeichnis

IV. Wie nah sind die Nachbarn?

V. Wie deutsch ist die Deutsche Frage?

Vorwort

Deutsche Fragen
oder Die Suche nach der Staatsräson

In seinen »White House Years« hat Henry Kissinger 1979 die Lage der Bundesrepublik Deutschland mit kritischer Sympathie und historischer Kenntnis beschrieben:

> »Defeated in two wars, bearing the stigma of the Nazi past, dismembered and divided, West Germany was an economy in search of political purpose. There was not in Bonn that British self-confidence born of centuries of uninterrupted political evolution and imperial glory.«[*]

Die Bundesrepublik, so der resümierende Satz Kissingers, gleiche einem gewaltigen Baum mit flachen Wurzeln, den eine Windböe fällen könne über Nacht.

Ein beunruhigendes Wort ist dies am Ende der Nachkriegszeit und für die Deutschen nicht angenehm zu hören und für ihre Nachbarn auch nicht. Denn während sich die Weltmächte bewegen nach ihren eigenen Interessen und Gesetzen, müssen die Westeuropäer – aus Gründen der Selbstachtung und Selbstbehauptung und auch der Verantwortung für die östlichen europäischen Nachbarn – ihre Rolle in der Pax Atlantica neu definieren und finden. Dazu aber bedarf es des deutschen Beitrags. Er kann nur kommen aus einem weltoffenen Patriotismus, der sich in Wahrheit und Klarheit der Geschichte stellt, der die Freiheit liebt und den Mut nicht verliert zu den eigenen Überzeugungen. Er muß aufbauen auf der Verantwortung der Deutschen für die europäische Stabilität, er muß die Lage des Landes im Brennpunkt des europäischen Systems in Rechnung

[*] Übersetzung auf S. 204.

stellen; und er muß letztlich auf jene europäische Friedensordnung setzen, die der »Brief zur deutschen Einheit« ergänzend zu den Ostverträgen 1970/72 umriß. Das geschah damals im Einverständnis aller Parteien des Deutschen Bundestages und meinte mehr eine Methode als ein Ziel, mehr eine Beruhigung für die nervösen Nachbarn als eine Tagesordnung, mehr einen Wunsch als eine Wirklichkeit – und bleibt bei alledem von hoher politischer Bedeutung.

Eine florierende Wirtschaft gehört nach aller Erfahrung des 20. Jahrhunderts zu den wichtigen, wahrscheinlich entscheidenden Voraussetzungen für politische Vernunft und Berechenbarkeit eines Landes nach innen und außen. Aber »an economy in search of political purpose« wird schwerlich hinreichen, die Schlüsselrolle zu bestimmen und zu füllen, welche der Bundesrepublik für die Zukunft des nordatlantischen Systems aus Geschichte und Geographie zufällt. Als System der Eindämmung gegen »Soviet expansionist tendencies« (George F. Kennan, 1947) hat die Pax Atlantica noch nicht ausgedient. Mittelpunkt und Achse einer Weltordnung der industriellen Demokratien und demokratischen Wohlfahrtsstaaten muß sie werden. Ohne die Deutschen wird dies nicht möglich sein. Wenn es aber *mit* den Deutschen auch nicht ginge, so wäre dies für die Deutschen nicht gut und nicht für ihre Nachbarn.

Die äußere Verfassung und die innere Verfassung verweisen die Bundesrepublik auf den Westen, die atlantische Wohlstandszone, die Pax Americana. Aber ihre Lage bleibt von beidem gekennzeichnet, der weltpolitischen Grenzsituation und dem alten deutschen Ort mitten in Europa, und daraus entstehen Zweifel, Spannungen, »incertitudes allemandes« innen und außen. Alice im Wunderland hatte ein merkwürdiges Erlebnis: Die Cheshire Cat verschwand, aber ihr Grinsen blieb. Das Deutsche Reich wurde zerstört, aber die Deutsche Frage gibt es immer noch, und diese Frage hört nicht dadurch auf, daß niemand eine Antwort auf sie weiß. Sie handelt im engeren Sinne von der Teilung der Nation. Im weiteren Sinne aber hat sie zum Inhalt, wie sich die deutsche Verfassung in Vergangenheit und Gegenwart mit der Verfassung Europas vertrug und verträgt und heute mit Stabilität und Berechenbarkeit des Ost-West-Verhältnisses.

Unter denjenigen deutschen Fragen, die sich in diesem weiteren Zusammenhang stellen und die diesem Buch die Gliederung geben, ist die *Suche nach der Staatsräson* für die Bundesrepublik Deutschland von großer Bedeutung, von größerer noch für den Aufbau des freien Europa. Was die im folgenden zusammengefaßten historischen Studien, Abhandlungen und Leitartikel – aus der »Frankfurter Allgemeinen Zeitung« der Jahre 1985 bis 1988 – verbindet, ist eben diese alte Frage, die Interesse und Selbstachtung zusammenfügt: als Frage des geschichtlichen Bewußtseins; als Frage nach dem, was jenseits von Wohlfahrt und Wohlstand eine Gesellschaft zusammenhält; als Voraussetzung rationaler Sicherheitspolitik; als Bauelement der internationalen Beziehungen; als Faktor dessen, was man mitunter im Ost-West-Verhältnis, vorgreifend oder wunschdenkend, gemeinsame Sicherheit nennt. Die Antworten, die hier gegeben werden, sind nicht definitiv und können es nicht sein. Der Historiker, immer rückwärtsgewandter Prophet, kennt das Ende schon. Aber wer sich auf die Gegenwart einläßt, der lebt mit der Chance des Irrtums, und der Leser wird auf vielen der nachfolgenden Seiten dessen gewahr werden.

Wenn gleichwohl die hier neuerlich vorgelegten Kommentare und Analysen eine gemeinsame methodische Voraussetzung haben, dann liegt sie in jenem Begriff der Geschichte, den vor einem Jahrhundert der Basler Geschichtsschreiber Jacob Burckhardt – gelernter Althistoriker, scheute er weder das Schreiben in Gazetten noch die Vorlesung über Geschichte der Gegenwart und Determinanten der Zukunft – in dem Satz zusammenfaßte:

>»Unsere Aufgabe ist nicht: die großen Tatsachen und Zustände zu bejammern sondern sie zu erkennen.«

Aber auch eine Warnung ist am Platze, und auch sie kommt von Jacob Burckhardt:

>»Das Geschichtliche vermeintlich das zum Bleiben Berechtigte; thatsächlich ist es schon das Überwundene. Der

beständige Wandel der Zeiten rafft die Formen, welche das äußere Gewand des Lebens bilden, unaufhörlich mit sich, auch die Formen des geistigen Lebens... Wenn die Geschichte irgendwie das große und schwere Räthsel des Lebens auch nur geringsten Theils soll lösen helfen, so müssen wir wieder aus den Regionen des individuellen und zeitlichen Bangens zurück in eine Gegend wo unser Blick nicht sofort egoistisch getrübt ist. Vielleicht ergiebt sich aus der ruhigen Betrachtung aus größerer Ferne ein Anfang der wahren Sachlage unseres Erdentreibens.«

I. Wohin trägt Erinnerung?

1. Zeichen und Wege politischer Herrschaft

In der Kathedrale von Reims, Donnerstag, 22. Oktober 1722:
Mit Macht setzt die Orgel ein, der Chor singt das Tedeum. Vor
der Kathedrale schießen Kanonen Salut. Gardisten feuern ihre
Musketen ab. Die Offiziere ziehen den Degen. In der Mitte des
Chores aber kniet vor einem Betpult unter einem Thronhim-
mel ein Knabe, für die Fernerstehenden in der dichtgedrängten
Menge der Würdenträger Frankreichs kaum zu erkennen. Der
amtliche Bericht hält fest, was geschah:

»Während das Tedeum gesungen wurde, brachte man aus
der Sakristei eine kostbare Sonne aus vergoldetem Silber, von
125 Mark Gewicht, welche der König der Kathedrale von
Reims schenkte. Der Herzog von Orléans empfing sie aus den
Händen des Herzogs von Villequier, erster Kammerherr, und
bot sie Seiner Majestät dar, der sie darauf in feierlicher Form
auf dem Altar niederlegte.«

Im Zeichen der Sonne

Im Zeichen der Sonne erfolgte der erste feierliche Schritt im
langen Ritual von Krönung und Salbung Ludwigs XV. zum König von Frankreich: Eine große Monstranz wurde der Kathedrale übergeben. Das Tedeum, das den König begrüßte, war
Teil eines Festes, das sich von der Ouvertüre bis zum Schlußak-
kord über viele Wochen hinzog. Zuvor schon hatte es den König von Versailles nach den Tuilerien und von dort über meh-

rere Wegstationen zur alten Krönungsstadt Reims in der Champagne geführt. Das Ritual ging auf die Zeiten der Karolinger zurück, und man sagte, es habe sich in ungebrochener Linie entwickelt seit der Taufe und Krönung Chlodwigs I. im Jahre 496. Nach Ludwig XV. wird dieses Ritual noch zweimal inszeniert werden: 1774 für Ludwig XVI., dessen Haupt 19 Jahre später unter der Guillotine fallen wird, mitten auf dem Platz, der zuerst nach Ludwig XV. und dann nach der Republik benannt wurde und heute Place de la Concorde heißt; zum letzten Mal 1825, als sich Karl X., der letzte Bourbonen-König Frankreichs, der Zeremonie bedient, um der nachrevolutionären Monarchie die alte Weihe zurückzugeben. Vergeblich: Fünf Jahre später wird er ins Exil fliehen.

Frankreichs achtes Sakrament

Die Höllenfahrt der Monarchie seit 1789 hatte etwas von Umkehrung der Salbung und Krönung und ritueller Zerstörung der alten Magie an sich. Fest und Revolte, die Krönung zu Reims und die Guillotine vor dem Tuilerienschloß in Paris erwiesen einen geheimen Zusammenhang, als seien sie auf entgegengesetzte Weise Teil desselben symbolischen Prozesses geworden: die königlichen Möbel zur Auktion geschickt, das Silber in die Schmelze, die heilige Ampulle in aller Form zerbrochen, der Adel im Exil, der König auf dem Schafott. Die Bühne wird abgeräumt, und die Schauspieler, die da 1722 in Gold und Silber eingeritten waren, verabschieden sich ein Menschenalter später im Büßergewand, auf dem Armesünderkarren, oder, so sie beizeiten die Gefahr bemerkten, entweichen sie bei Nacht nach London, Brüssel oder Coblentz ins Exil. Jedesmal hat auch das Volk eine Rolle zu spielen. Es steht dabei und ratifiziert, was geschieht, durch Akklamation.

Im Zeichen der Sonne: Sie repräsentierte Glanz und Anspruch der Krone Frankreichs. Einst hatte Heinrich IV. Ritterspiele veranstaltet, bei denen er die Insignien der Sonne trug; ein Höfling war der Spiegel, der die Strahlen zurückwirft; der andere der Lorbeer, der der Sonne heilig ist; der dritte der Adler, der nach der Sonne blickt. Ludwig XIV. hatte sich den »Roi Soleil« genannt, und noch heute findet sich am Schloßbau zu Versailles überall das Zeichen der Sonne. In diese Tradition wurde durch seine Ratgeber auch der Urenkel gestellt, der zwölfjährige Ludwig XV., als er der Kathedrale von Reims jene Silberplastik schenkte, die, gut zwanzig Kilo wiegend, das lebensspendende Gestirn darstellte, Symbol der Schöpfung und Herrschaftszeichen: Der König war dem Land die Sonne. Das Sacre aber, die altertümliche Salbung zu Reims, war dazu bestimmt, die Person des Monarchen in die Sphäre des Unsterblichen zu heben. Es war, so bemerkte im 19. Jahrhundert der Philosoph Ernest Renan, für Frankreich eine Art achtes Sakrament.

Ein Jurist des Gerichtshofes von Metz, Monsieur Menin, gab 1722 eine Darstellung, die nur Wochen nach dem Ereignis erschien und der von der Zensur ihre Zuverlässigkeit bestätigt wurde: Nachricht von dem Ereignis, Bestätigung des richtigen Ablaufs und Formular für künftige Fälle. 1762, als die Macht Ludwigs XV. zur Neige ging, erschien eine unveränderte Neuauflage, wie um zu beweisen, daß Aufklärung und Rationalismus die alte Magie noch nicht verbraucht hatten. Es hieß da über die Salbung, sie sei nicht nur Zeremonie durch Brauch und Gewohnheit und eingeführt durch die Menschen: »Sie ist um so heiliger und geheimnisvoller, als sie auf göttlichen Befehl und Einsetzung zurückgeht und von gleicher Art ist wie die Sakramente.«

Ernst Kantorowicz, der Historiker, schrieb im Exil ein Buch »The King's Two Bodies«: Zwei Körper hatte der Monarch, sterblich und unsterblich, menschlich und ewig, materiell und spirituell. Auf dem langen Weg von Versailles nach Reims, St-Denis und Paris galt es, dies alles zur Einheit zu verschmelzen, welche Land und Herrschaft verband. Viel von der alten Feierlichkeit dürfte 1722 den Damen und Herren des Hofes, amourös und genußfreudig, längst als leere Geste vorgekommen sein.

Der kalte Blick, mit dem der Herzog von St-Simon in seinen Tagebüchern das Hofleben beschrieb, erlaubt keine Illusion. Und doch: Wie ironisch die Hofgesellschaft auch ihre Distanz nahm, zuletzt verstand sie doch, wie Rang und Macht des Adels davon abhingen, daß Rang und Macht des Königs Bestand hatten. Darin ist auch der legitimatorische Sinn der Krönung zu sehen: Die Monarchie konnte nur leben, solange man an sie glaubte. Diesen Glauben zu bestärken, bedurfte es der Krönung, der Salbung und des Festes.

Dabei waren die Zeiten nicht zum Festefeiern. Die Krisen und Kriege der letzten Jahrzehnte waren noch schmerzhaft im Gedächtnis: die Verarmung des Landes durch die Kriege Ludwigs XIV., der »Große Winter« von 1709 und der Massenhunger; der inflationäre Schwindel unter der Regentschaft des Herzogs von Orléans. Und wer heute in den Bildern des Malers Antoine Watteau (1685–1721) die Kavaliere und ihre Schönen beim ländlichen Fest sieht, sich einschiffend nach der Liebesinsel Cythère – der darf dies alles nicht als Abbild der Welt nehmen, wie sie war: Es war Traumbild eines Lebens, das es niemals gab. Und doch begann mit der Krönung des »bien aimé« für Frankreich eine Epoche der Prosperität, künstlerischer Entfaltung, technischer Hochleistung und der Abwesenheit von äußerer Bedrohung: Die Süße des Lebens wurde dem Ancien régime noch einmal zuteil.

Die Krönungsreise war vorgezeichnet durch die symbolische Geographie Frankreichs. Der amtliche Bericht: »Seine Majestät verließ Versailles am 16. Oktober und schlief im Palast der Tuilerien zu Paris, von wo er am 17. Oktober nach Reims aufbrach... Auf dem Weg wurde Seine Majestät in seiner Kutsche begleitet von Prinzen von Geblüt und seinem Erzieher, dem Herzog von Charost, und eskortiert durch die Leibgarde und Abteilungen des Regiments Gensdarmes, der Leichten Reiter der grauen und der schwarzen Musketiere, alle mit ihren Offizieren an der Spitze... Ihnen folgte ein großes und glänzendes Gefolge, Karossen und Equipagen des Königs und der Prinzen, Minister und hohen Herren. Der Herzog von Orléans hatte außerordentlichen Aufwand getrieben, um Seine Majestät im Schloß von Villers-Cotterêts wohl zu empfangen. Graf Evreux, Gouverneur der Ile de France, übergab an der Spitze aller Beamten der Stadt Soissons deren Schlüssel... Auch wurde der König durch die Akademie dieser Stadt geehrt.«

Es verstand sich, daß solcher Empfang den, der ihn entgegennahm, verpflichtete. Und es verstand sich auch, daß solche Ehren nicht einem Knaben von zwölf Jahren galten, sondern der Personifizierung von Königtum und Staat. Keine Frage, daß der König sich auch dem Volke zeigen mußte, um dessen Jubel entgegenzunehmen. Das hatte nichts mit demokratischer Zustimmung zu tun, deutete aber an, daß es auch dem selbstregierenden Monarchen Frankreichs nicht gleichgültig sein konnte, ob er verhaßt war oder geliebt.

Vor Reims nahm der König die Parade ab: die Schweizer und die französischen Garden in Schlachtordnung. Vor der Front übergab Fürst Rohan, Gouverneur der Champagne, dem König die Schlüssel der Stadt als Zeichen der Loyalität. Dann betrat der feierliche Zug die Stadt. Triumphbogen waren aufgestellt, von Bürgern bewacht, die den Souverän grüßten. Der fuhr vor das Hauptportal der Kathedrale und wurde von Erzbischof und Domkapitel willkommen geheißen. Auch waren die Inhaber der großen Bischofssitze aus ganz Frankreich zusammengekommen, einige von notorisch leichtem Lebenswandel, aber jetzt, ungeachtet aller vergangenen oder kommenden Abirrungen vom frommen Leben, bischöflich gewandet.

Mit Tedeum, Sonnengeschenk und Segen war der erste Akt abgeschlossen. König und Erzbischof zogen sich ins bischöfliche Palais zurück, wohin man zuvor kostbare Möbel aus Versailles und den Tuilerien geschickt hatte: Kommoden, Tische und Schränke in Schildpatt mit Messing eingelegt, reiche Bronzen, Silber aus den Hofwerkstätten im Louvre und Tapisserien aus der Manufaktur der Gobelins. Überall waren die gekrönten Initialen des Königs angebracht, umgeben von Band und Stern des Ordens vom Heiligen Geist.

Während der beiden folgenden Tage besuchte der König die Kirchen der Stadt. Am Vorabend der Krönung begab er sich mit Gefolge zur Vesper in die Kathedrale, kniete nieder und nahm dann Platz unter einem Thronhimmel aus blauem Samt, mit den goldenen Lilien Frankreichs bestickt. Der Messe folgte eine Predigt über Ablauf und Bedeutung der Salbung, welche nicht nur Hof und Öffentlichkeit an deren religiösen und rechtlichen Rang mahnte. Staats- und kirchenrechtlich war zu bestätigen, daß die Kirche nicht dem König ihre Macht auferlegte, sondern der seinen nur die göttliche Weihe verlieh. Kein Wort, das dem Zufall oder persönlicher Eingebung überlassen worden wäre. Anschließend erneuter Zug des Monarchen und des Erzbischofs aus der Kathedrale ins Palais, wo der künftige König – ein blasser, überanstrengter, timider Knabe – die Beichte ablegte.

Gold und Lilien

Am Sonntag, dem 25. Oktober 1722, folgten Krönung und Salbung. Der Bericht: »Die Metropolitankirche Unser Lieben Frauen zu Reims war mit viel Glanz für die große Feierlichkeit vorbereitet worden. Silbertücher, welche der König am Vortag geschenkt hatte, schmückten den Hochaltar. Sie waren mit Gold umsäumt und bestickt mit dem Wappen von Frankreich und Navarra. Der Thronsessel, den der König nach der Salbung einnimmt, stand inmitten des Schiffes unter einem prachtvollen Thronhimmel aus violettem Samt, bedeckt mit goldenen Lilien. Das Betpult vor dem Thron ebenso wie das im Chor war mit einem gleichartigen Teppich bedeckt und so auch Sessel und Bänke, auf denen die Pairs von Frankreich zu sitzen hatten, die hohen Beamten und alle anderen Eingeladenen.«

Ein Bild des Malers Martin, heute im Schloßmuseum zu Versailles, registriert den Glanz, die Enge und die Geometrie des Rituals. König und Erzbischof waren die Hauptakteure, das Gefolge hatte durch seine Gegenwart der Handlung Gewicht und Geltung zu verleihen. Die Abstufung ihrer Sitze oder ob sie im Stehen teilnahmen, entsprach den Stufen ihres Standes. Auch die Kleider, die jeder trug, die Orden und Abzeichen waren ihm nicht überlassen, sondern entsprachen altem und ältestem Herkommen, Rechten und Pflichten.

Der Prinz, der nun König werden sollte, betrat die Kirche vom Bischofspalais aus über eine gedeckte Galerie. Er trug nichts als ein langes Hemd, eine Tunika von scharlachroter Seide, Farbe der Könige. Um ihn die Großen des Königreichs. Man sang das Veni Creator Spiritus, und damit erreichte das

Fest den spirituellen Höhepunkt: Die heilige Phiole wird am Portal der Kathedrale entgegengenommen, ein Kristallflakon in goldener Fassung mit dem Öl für die Salbung. Nach der Legende war diese »Sancte Ampoule« von einer schneeweißen Taube gebracht worden, und die Nachfolger des heiligen Remigius leiteten daraus ihr Recht ab, die Könige von Frankreich zu salben: eine Legende, deren Nutzen außer Frage stand für den Erzbischof wie für den König:

»Der Erzbischof... empfing zuerst vom König das Schutzversprechen, welches Seine Majestät allen Kirchen erteilte, welche der Krone untertänig sind, und in den alten Formen. Seine Majestät berührte mit den Händen die Bibel und legte den Eid ab auf das Königreich, auf den Orden des Heiligen Geistes und den des heiligen Ludwig.«

Dies alles galt es mit lauter Stimme im Latein der Kirche auszusprechen. Zum Schutz der Kirche gehörte der Kampf gegen die Ketzer, zum Schutz der Orden die Aufrechterhaltung der Privilegien ihrer Mitglieder. Vermutlich las der junge König dies alles in gemessener Form vom Blatt: Solche Zeremonien waren zu wichtig und zu kompliziert, um sie nach Gehör zu spielen. Der Eidesleistung folgte die Einkleidung des Königs mit dem Krönungsornat, den geweihten Handschuhen, dem Ring, dem Szepter und dem Schwert.

Der Bericht von der Inthronisation: »Der König, mit seinen königlichen Kleidern angetan, auf dem Haupt eine kleine edelsteinbesetzte Krone, die für diese Salbung eigens angefertigt wurde« – man kann sie heute noch im Louvre-Museum sehen –, »in seinen Händen Szepter und Schwert, folgt dem Marschall und wird am rechten Arm vom Erzbischof von Reims geführt... Die Schleppe des königlichen Mantels wird getragen von einem Prinzen oder Grandseigneur, den der König dazu bestimmt. Der Kanzler geht allein hinter dem König, nach ihm der Ordensmeister zwischen dem Großkämmerer zur Rechten und dem Ersten Hofkavalier zur Linken.«

Der Erzbischof hielt den König bei der Hand und sprach die Inthronisationsformel. Danach nahm er die Mitra ab, beugte das Knie vor dem thronenden König, küßte ihn und rief dreimal: Vivat Rex in aeternum! Der König lebe in Ewigkeit! Die Pairs von Frankreich, die Geistlichen zuerst, stimmten in diesen Ruf ein. Darauf aber kam das Volk von Frankreich zu Wort: »Die Türen der Kirche werden geöffnet, um das Volk einzulassen, das sich drängt, den König in seinem Glanz auf dem Throne zu sehen und ihm zuzujauchzen durch den erneuten Ausruf: Vive le Roi! Dies geschieht zum Klang der Trommeln und Trompeten und aller Instrumente im Chor. Die Garde, im Vorhof der Kirche in Schlachtordnung aufgestellt, antwortet auf diese Akklamation durch drei Gewehrsalven. Unterdessen teilen der Kanzler, der Großkämmerer und die Herolde silberne Gedenkmünzen aus.«

Im Schloßmuseum zu Versailles findet sich noch ein lebensgroßes Porträt des zwölfjährigen Ludwig XV. im Krönungsornat: ein Knabe mit lang gewellten Haaren, die eine Hand in die Seite gestemmt, in der anderen das Szepter, bekleidet mit einem Mantel, innen von Hermelin, außen auf blauem Grund die königlichen Lilien.

Mit der Inthronisation wurde der König Inbegriff des Königreichs und damit Inhaber aller Rechte, die den Staat ausmachten: Der Mensch geht wie eine Nebensache in Symbol und Zeremoniell auf. Das Hochamt durch den Erzbischof, das zeremonielle Opfer durch den König schlossen die kirchliche Handlung ab: Gold und Silber für die Kirche, die Kommunion für den Monarchen. Danach hatte der Monarch die schwere Krone Karls des Großen zu berühren.

Den Abschluß des Tages bildete das Schauessen im bischöflichen Palais. Dabei stand der königliche Tisch unter dem Thronhimmel vier Stufen über denen der geistlichen und weltlichen Herren, der fremden Botschafter und der obersten Höflinge. Hier wurde der König feierlich bedient von den Chargen des Hofes. Rundum standen und saßen auf einer Galerie Höflinge und inkognito reisende fremde Fürstlichkeiten. Nichts war Bequemlichkeit, nirgendwo Zufall.

Am Tag nach der Krönung setzte sich das Fest fort, wie es immer gewesen war und immer sein würde. Ludwig XV. ritt in Kavalkade zur Kirche Saint Remis, wo die heilige Phiole aufbewahrt wurde, zu Messe und Gebet: das Gewand aus Silberfäden, der Schimmel mit silberner Satteldecke – ein Bild christlich-mittelalterlicher Romantik. Am Abend folgte die Investitur mit dem Orden vom Heiligen Geist, dessen Hochmeister und Souverän der König damit wurde. Der Orden war in den Religionskriegen durch Heinrich III. gestiftet worden, um den katholischen Hochadel an den Monarchen zu binden. Seitdem wurden Ordenskette und der vierstrahlige Stern aus emailliertem Gold Teil des französischen Staatswappens und vornehmste Auszeichnung.

Was aber am vierten Tag nach der Krönung zu tun blieb, kam aus einer anderen Welt. Der französische Historiker Marc Bloch, im Zweiten Weltkrieg als Mann der Résistance gefangengenommen und erschossen, hinterließ ein Buch darüber: »Les rois thaumaturges« – Die wundertätigen Könige. Im Krönungszeremoniell war das Wundertun unverrückbarer Bestandteil. Es geschah in der Abtei Saint Remis. Der amtliche Bericht: »Nach der Messe trat der König in den Park der Abtei des heiligen Remigius, in dessen Alleen sich mehr als 2000 Kranke eingefunden hatten, die an Skrofeln litten. Seine Majestät trat an sie heran, beginnend mit den Spaniern und endend mit den Franzosen... Barhäuptig berührte er die Kranken, indem er ihnen mit der Rechten von der Stirn bis zum Kinn über das Gesicht fuhr und von einer Wange zur anderen; so machte er das Kreuzzeichen und sprach: Gott möge dich heilen, der König berührt dich. Der oberste Arzt legte jedem die Hand aufs Haupt, der Herzog von Harcourt hielt ihnen die Hände, und wie jeder berührt wurde, gab ihm der Groß-Almosenier eine Gabe.«

Die Anspielung auf die Nachfolge Jesu, der den Aussätzigen geheilt hatte, war offenkundig. Wenn die Krankheit eine Schickung Gottes war, so die Theorie, dann mochte sie durch das Königsheil wieder fortgenommen werden. Der Heilung folgte die Begnadigung von 600 ausgesuchten Häftlingen aus den Gefängnissen von Reims, in Stellvertretung des Königs vollzogen.

Zwei Tage später brach der König mit großem Gefolge wieder auf, und auch die Rückreise war geregelt durch symbolische Geographie und politische Zweckmäßigkeit. Zu Chantilly in der Residenz des bisherigen Regenten erholte sich der junge König. Dann begab er sich in die Basilika Saint Denis nördlich von Paris, und auch dies war alter Brauch:

»Vor dem Grabmal Ludwigs XIV., seines Urgroßvaters, sagte er ein ›De profundis‹, danach betrachtete er die Gräber seiner königlichen Vorgänger und verweilte lange Zeit bei den Kostbarkeiten, die in der Schatzkammer der Abtei sind, und um halb fünf Uhr bestieg der König wieder seine Karosse und begab sich in sein Palais der Tuilerien.« Die Stadt Paris huldigte ihm in einer großen Feierlichkeit.

Am 10. November 1722 betrat Ludwig XV. das Schloß in Versailles, das er als Kronprinz verlassen hatte. Vier Wochen hatte die Krönungsreise gedauert: ein langes Fest, das die Geschichte durchmessen hatte ebenso wie die symbolische Geographie Frankreichs.

Die Symbole der Republiken

Das Denken der vormodernen Epoche geschah, wie der Kunsthistoriker Herbert von Einem schrieb, »mehr in Gestalten und Bildern als in Begriffen«. Symbol, Ritual, festgefügte Form waren die altertümliche Sprache, in der die politisch-sozialen Bauformen ihren Ausdruck fanden.

Die alten Republiken zehren heute noch von diesem Vorrat und haben ihn ihrer Legitimation anverwandelt. Die Französische Revolution bewirkte nicht Annullierung des höfischen Balletts, sondern dessen Umkehrung und Erneuerung. Die alten Rituale wurden, indem man sie von 1789 bis 1793 Stück für Stück gewissermaßen zurückspielte, ihrer königlichen Magie entkleidet und zugleich der revolutionären Tradition eingefügt. Gott wurde aus dem Paradies und den gotischen Kathedralen vertrieben, aber der Kult des »Höchsten Wesens« aus Vernunft und Natur wurde zelebriert, der Mensch war der Sünde nicht teilhaftig und der Erlösung nicht bedürftig. Die neue sterbliche

Gottheit hieß »la nation une et indivisible«. Die Trinität wurde zur Trikolore: Freiheit, Gleichheit, Brüderlichkeit. Die drei nackten Grazien des Ancien régime verkörperten, fülliger geworden, fortan die revolutionäre Dreifaltigkeit. Das Liktorenbündel, modisches Accessoire schon des späten Stils Louis XVI., wurde republikanisches Emblem und erinnerte an die düsteren Tugenden der römischen Republik, die auch sonst für den Mummenschanz der Revolution, des Directoire und der cäsarischen Militärdiktatur den Kostümverleih machte. Der Lorbeerkranz auf des Diktators Haupt, die Adler auf den Feldzeichen der Legionen verdrängten Kreuze und Lilien: Das ganz Alte sollte das ganz Neue heiligen. Die Republik fügte danach nicht mehr viel Neues hinzu: am wichtigsten der 14. Juli. Ein Jahrhundert lang war dies der Tag gewesen, da sich das eine Frankreich der Erschlagenen erinnerte, das andere Frankreich der verratenen Revolution. Seitdem der 14. Juli Nationalfeiertag geworden ist, vertreiben Trommeln und Trompeten die trüben Gedanken.

In England leiht die monarchische Form seit zwei Jahrhunderten dem republikanischen Inhalt die historische Weihe: Die »dignified parts« der englischen Verfassung gehören, mit Sir Walter Bagehot zu sprechen, älteren historischen Schichten an als die »efficient parts«: Beide aber sind Teil derselben symbolischen Geographie von Westminster und Whitehall. Die englische Verfassung ist in wesentlichen Teilen bis heute ungeschrieben; die politisch-soziale Bauform Englands gelebte Tradition, die beides leistet: Stiftung von Legitimität und Setzung von Grenzen.

Die Vereinigten Staaten von Amerika wiederum entstanden als erste revolutionäre Republik auf Erden. Waren sie über die Bilder der Macht erhaben? Die »Neue Welt«, die sich gegen die alte stellte, war sich selbst immer Vision: The shining city on the hill, Manifest destiny, God's own country. Dieses Neue Jerusalem fand seine imperiale Form in Washington, wo hinter palladianischen Fassaden Exekutive und Legislative, Staat und Kultur, Geschichte und Gegenwart, der Ruhm der Nation und ihre Trauer in kunstvoller Geometrie aufeinander bezogen bleiben, wie es keinem Papst und keinem Kaiser der Alten Welt je gelang. Der Adler des Zeus zog vom Ida-Gebirge nach Rom und überquerte 300 Jahre nach Kolumbus den Atlantik. Jeden Morgen in jeder Schulklasse der amerikanischen Nation wird der Flagge, Hand aufs Herz, Treue gelobt. Europäer sehen es mit gemischten Gefühlen.

Was Gemeinwesen zusammenhält

Glanz und Elend des Ancien régime sind dahin, aber die Frage ist geblieben, was Gemeinwesen im Innersten zusammenhält. Daß das Huhn im Topf eine Versicherung ist für den inneren Frieden der Staaten, wußte schon der gute König Heinrich IV. Aber es wäre ihm nie eingefallen, daß eine Zugewinngemeinschaft aus sozialen Rechten und materiellem Besitz nur deshalb überdauern könne, weil sie sich den Namen eines Staates zulegt. Die Geltung des Gemeinwesens unter den Menschen bedarf der Formen und der lebendigen Symbole, des Bezugs auf Glanz und Elend der Vergangenheit und der Gewißheit des Morgen, die aus der Erinnerung des Gestern kommt. Republiken sind Gebilde der Ratio, darin liegt ihre Stärke und Schwäche. Ihre Stärke, weil sie – in der Sprache der Aufklärung – gegründet sind im Recht des Menschen auf Suche nach dem Glück. Ihre Schwäche aber auch, weil der Mensch vom Brot allein nicht lebt und die Idee vom Glück in der Ratio nicht aufgeht. Die totalitäre Versuchung des 20. Jahrhunderts, der Hunger nach Ideologie und der permanente Aufstand gegen die Vernunft – sie sind den Republiken eine dauernde Gefahr. Was Jacob Burckhardt den »Ausgangspunkt« aller historisch-politischen Betrachtung nannte, hat sich noch immer nicht verändert: »Vom Menschen, wie er ist und immer war; daher unsere Betrachtung wesentlich pathologisch.«

2. Nach dreißig Jahren Staub und Moder

Die Kunst des Friedenschließens

Anfang Mai 1985 kam der amerikanische Präsident Ronald Reagan zum Staatsbesuch in die Bundesrepublik Deutschland. Auf beiden Seiten des Atlantiks gab es leidenschaftliche Debatten.

Ein heißer Tag in Moskau, Herbst 1944: George F. Kennan, der Diplomat, beschreibt ihn in seinen Erinnerungen. 50 000 deutsche Gefangene wurden durch die Stadt getrieben, um den Einwohnern ein Schauspiel zu bieten. Was die Deutschen vielen ihrer russischen Gefangenen angetan hatten, war schlimmer; und schlimm war auch, was diesen Männern bevorstand.

Dennoch, so erinnert sich Kennan, erfüllte ihn das Schauspiel mit Trauer und Erschütterung: »Die Gefangenen waren junge Menschen, viele gewiß nicht älter als unsere College-Studenten. Vor fünf Jahren, bei Ausbruch des Krieges, waren sie Kinder gewesen... Sicherlich hatte man zu den großen Entscheidungen dieses Krieges nie ihre Meinung eingeholt, viel weniger zu den Scheußlichkeiten des Nazi-Regimes. An die Front waren sie ohne eigenes Zutun gekommen. Und da sie zur kämpfenden Truppe an der Front gehörten, war kaum anzunehmen, daß sie an den Greueln maßgeblich beteiligt waren, die hinter der Front von Gestapo und SS und von den polizeilichen Strafexpeditionen verübt wurden. War es dann richtig, so fragte ich mich, sie für die Taten einer Regierung zu strafen, in deren Gewalt ihre Väter sie bereits als Kinder gegeben hatten und gegen deren Verhalten nie die geringste Möglichkeit der Auflehnung bestand? Wurde Roheit dadurch annehmbar, daß man sie als Akt der Vergeltung betrieb? Wenn man vorgab, seinen Feind wegen seiner Methoden zu bekämpfen, und sich dann in der Hitze des Gefechts dazu hinreißen ließ, genau dieselben Methoden anzuwenden – wer war dann der Sieger?«

Der Beobachter stand dort, wo den Christen das Neue Testament und den Diplomaten das Berufsethos hinstellt: außerhalb der durch den Krieg erweckten Leidenschaften. Was damals nobel war, kann heute nicht falsch sein. Die Leidenschaften, die Taten und Untaten, die Liebe und der Haß: »nach dreißig Jahren ist es Staub und Moder«, sagte Bismarck am Ende seines Lebens. Die Zeit hat ihre Schuldigkeit getan. Es gibt nicht mehr Sieger und Besiegte, es gibt nur noch Erben jener Tragödie, die 1914 begann und zu einem neuen Dreißigjährigen Krieg wurde. Den Deutschen bleiben aus Befreiung, Scham und Trauer gemischte Gefühle.

Wenn die Sowjets das Bedürfnis haben, ihrer sklerotischen Ideologie durch den Triumph von 1945 das Leben zu verlängern – unter Außerachtlassung der sinistren Rolle, die Stalin 1939 bis 1941 spielte –, dann haben sie Gründe der Machträson und des imperialen Interesses. Der 8. Mai soll dem Roten Oktober eine Bluttransfusion geben. Aber es ist nicht jenseits sowjetischen Kalküls und russischer Rhetorik, daß die beiden Nationen, die am meisten unter dem Krieg litten, auch am meisten für den Frieden zu sorgen haben, und am besten fortan gemeinsam. Wer sich aber in diesem Lande an 1945 erinnert, der weiß, daß die Deutschen es damals vorzogen, vom Westen erobert statt vom Osten befreit zu werden.

Im Westen aber, vor allem zwischen New York und Washington, muß man sich fragen, in wessen Interesse es sein kann, die Bundesrepublik mit einem Kainsmal zu versehen. Dieses Land leistet viel für Freiheit und Sicherheit des Westens. Es lebt mit der nationalen Teilung, es bietet sein Territorium für die Verteidigung des Westens und unterdrückt tapfer den Gedanken, was geschieht, »if deterrence fails«. Es hat gegen die von Hitler ruinierte Nationalgeschichte 40 Jahre verantwortungsvoller Politik und demokratischer Kultur in die Waagschale zu werfen. Zählt das alles für nichts? Sind die Deutschen eine ökonomisch erstrangige, eine militärisch zweitrangige und eine moralisch drittrangige Nation? Demokratien brauchen das, was man im Amerikanischen »the moral high ground« nennt. Ein Bündnis aber braucht gemeinsamen Boden.

Mehr als die Hälfte der Deutschen, die heute leben, wurde nach dem Zweiten Weltkrieg geboren. Die physischen Folgen und die moralischen Lasten der Vergangenheit bleiben ihnen bis ins dritte und vierte Glied. Und von denen, die vor 1945 geboren wurden, gilt wohl überwiegend, daß niemand sie jemals fragte, ob sie Hitlers Krieg führen wollten oder den Krieg ihres Landes oder überhaupt keinen Krieg.

Dieses Land hat die Schuld der Väter auf sich genommen, soweit Schuld solcher Art jemals zu tragen ist und nicht der heilenden Kraft der Zeit überlassen bleiben muß. Aber man kann, von außen gesehen, auf die Dauer nicht beides haben: die guten Deutschen im Bündnis und die bösen Deutschen als Maßstab moralischer Verworfenheit. Das würde nicht nur die Bundesrepublik innerlich zerreißen, sondern auch dem Bündnis jene unausgesprochenen Voraussetzungen nehmen, die der Adenauer-Entscheidung für den Westen zugrunde lagen: daß die Vergangenheit vergangen sei und es darauf ankomme, die Zukunft gemeinsam in Freiheit zu gestalten.

»Oblivio perpetua et amnestia« versprachen die Gesandten einander, die 1648 zu Münster und Osnabrück, als der Dreißigjährige Krieg Deutschland zum Schlachtfeld Europas gemacht hatte, Frieden schlossen. Von drei Deutschen hatte nur einer überlebt, das Land eine Brandstätte, die deutsche Zukunft auf Generationen verstellt. Es war christliche Vergebung, die man einander bot und gewährte. Man begegnete einander in dem Bewußtsein, daß kein Mensch ohne Fehl sei. Dazu kam die realpolitische Einsicht, daß man die Zukunft verfehlt, wenn man die Vergangenheit nicht überwindet. Verspielen wir, die freien Nationen, angesichts der Schrecken der Vergangenheit und der Bedrohung der Zukunft die Weisheit jener Diplomaten, die das Friedensbild im Rathaus zu Münster zeigt?

Dem Nächsten Vergebung gewähren und immerwährendes Vergessen – die Weisheit der Formel von 1648 meint nicht, daß man sich selbst Verschweigen und Nichtwissen erlauben sollte. Sie meint die schwierige Kunst des Friedenschließens, ohne die kein Ende ist und auch kein Anfang.

3. Lehren aus einem Staatsbesuch

Hat recht behalten, wer vor dem 8. Mai sagte, Bitburg werde bald aus den Schlagzeilen sein und damit aus dem Gedächtnis? Wenn dem so ist, so bleibt erst recht zu fragen, wie die Folgerungen lauten.

Symbolisches Handeln hat für die Politik Gewicht, wenn mit Maß und Mut Zeichen gesetzt werden. Aber Deutsche und Amerikaner sprechen nicht nur verschiedene Sprachen. Auch unausgesprochene Voraussetzungen der politischen Kultur sind verschieden. Die zwei Weltkriege, welche die Amerikaner siegreich entschieden, waren die Kriege, die die Deutschen verloren. Was sich in die Mentalität eingrub, liegt jenseits von Erinnerung und Vergessen.

»Wir verloren niemals einen Krieg – allein der Süden.« Das kann man, mit Bitternis, in den alten Südstaaten der USA hören, wo viele hunderttausend Tote des Bürgerkriegs, verbrannte Erde und bedingungslose Kapitulation unvergessen sind. Im Norden hört man dasselbe Wort, nur ohne den nachgestellten Halbsatz. Kanadier erinnern sich mitunter an 1812, als die Amerikaner an Toronto Feuer legten und die Briten an Washington. Es gibt in Deutschland keine Stätte wie den Nationalfriedhof von Arlington, unweit des Weißen Hauses und des Kongresses. Dort lauschte im April 1953 Konrad Adenauer bei seinem ersten Staatsbesuch, tief bewegt, der amerikanischen und der deutschen Nationalhymne: Das war eine symbolische Geste im Blick auf Vergangenheit und Zukunft. Form und Substanz waren eins.

Amerikaner gedenken der toten Soldaten in Dur, Deutsche und andere Europäer tun es in Moll. Die Dissonanz der zwei Vietnam-Monumente in Washington, wo das eine die Helden rühmt und das andere zu den Toten hinabführt, verrät Wandlungen im amerikanischen Bewußtsein. Aber auf die deutsche Geschichte erstrecken sie sich nicht. Im Blick auf Bitburg sprachen Amerikaner von »celebration« und »honor«, Deutsche von Erinnerung und Gedenken. Das war mehr als ein Mißverständnis. Henry Kissinger merkte einmal an, der europäische

Sinn für Geschichte und Tragödie und der amerikanische Sinn für Realität und Vision müßten einander ergänzen. Auf dem Boden der Eifel wurde dies unternommen. Aber wurde die Botschaft verstanden?

Politische Beweggründe der Gegenwart beschwerten die Lasten der Vergangenheit. Manche amerikanische Kritik am Präsidenten und manche deutsche Kritik am Bundeskanzler entsprang nicht hehrem moralischem Antrieb, nicht profunder Kenntnis der Geschichte, nicht der Einsicht in den totalitären Charakter der deutschen Diktatur, der Gewalt und Verführung, für viele unauflöslich, verband; Prestige und Urteilskraft der Verantwortlichen galt es in Zweifel zu setzen. Außenpolitische Scherben nahm man dafür in Kauf. Dazu kam, daß an der amerikanischen Ostküste Verdacht keimte, die Deutschen wollten zuerst Absolution und sich dann ihrer Haftung moralisch und politisch entziehen. In der schweren Kunst des Friedenschließens ist zu vergeben und zu vergessen das Letzte und das Schwerste.

Es bleibt die politische Notwendigkeit, Symbole zu bedenken, zu entwickeln und mit ihnen pfleglich umzugehen. Der größte Fehler wäre unterdessen, das Problem allein im Management eines Staatsbesuchs zu suchen oder allein in der Überkritik daran. Was im April und Mai 1985 sichtbar wurde, war nicht allein Ambivalenz im deutsch-amerikanischen Verhältnis, sondern noch mehr Unsicherheit im Verhältnis der Deutschen zu sich selbst und ihrer Geschichte. Diese Geschichte fordert nicht Kollektivschuld, aber sie entläßt auch nicht aus Scham und Haftung: die jüngeren Deutschen sowenig wie die älteren, die Wähler der einen Partei sowenig wie die der anderen. Und ob die innerdeutsche Grenze, die so vieles trennt, Gerechte und Ungerechte trennt, bleibt zu bezweifeln – allen gegenteiligen Beteuerungen der deutschen Kommunisten zum Trotz. In der DDR gibt es eine Vielzahl von Monumenten für die toten Sowjetsoldaten. Den toten Wehrmachtsoldaten gilt nicht Trauer, sondern nur Verdammung. Der Rest ist Schweigen und *deletio memoriae*. Die SED aber wird so lange vergeblich die deutsche Geschichte beanspruchen, wie sie im Blick auf deren Verstrickungen im 20. Jahrhundert – wie General de

Gaulle die französischen Kommunisten nannte – die Partei eines fremden Nationalismus bleibt.

Der Staatsbesuch des amerikanischen Präsidenten enthält zu alledem eine weitere, in die Zukunft gerichtete Lehre. Als die atlantische Allianz entstand, war sie ein Kind von Furcht und Vernunft. Aber seit langem gilt, daß sie auf Gemeinsamkeit ethischer Überzeugung, wirtschaftlicher Interessen und sozialer Lebensformen ruht. Versöhnung wurde Teil des Alltags, in Bitburg und anderswo. Dies zu vergessen oder zu verdrängen wäre moralischer Verlust und politische Torheit. Man muß der heilenden Kraft der Zeit vertrauen und Wunden der Vergangenheit schonend behandeln. Das Bündnis besteht auf Gedeih oder Verderb. Die Allianz ist Ausdruck der Tatsache, daß zwischen den Deutschen und ihren Verbündeten gemeinsamer Boden gewachsen ist. Wäre sie das nicht, was wäre sie im Krisenfall wert?

Und endlich werden wir daran erinnert, daß Vertrauen für uns und unser Land noch immer, 40 Jahre nach Kriegsende, ein knappes Gut ist. Der Staatsbesuch hat eine Krise der deutschen Standortbestimmung nicht geschaffen, sondern nur offenbart. Darin liegt eine Warnung. Denn ohne Selbstvertrauen fehlt der Vertrauensbildung nach außen die moralische Verankerung. In diesem Punkt erwies der 8. Mai, daß ein Teil der Anstrengung noch vor uns liegt.

4. Blaue Blumen, rote Nelken

Politische Traumreisen

Zivilisationskritik und die Stimmung der Angst: beide haben viel miteinander zu tun, seitdem der Prozeß der Säkularisierung Gott und seine Heiligen aus dem Paradies vertrieb und der Garten Eden irgendwo auf die Erde verlegt wurde. Wohin aber? Das neue Paradies auf Erden, Reich der Freiheit und Gerechtigkeit, wurde mit der Wendung vom Rationalismus des 18. zur politischen Romantik des 19. Jahrhunderts die Antwort auf das Zeitbewußtsein des Kulturkonflikts. Soziale Unruhe, Generationengegensatz und nationale Frage verbinden sich darin.

Das Mittelalter war bestimmt von der Suche nach dem Millennium, und die Menschen meinten damit das Ende der Geschichte nach dem Willen Gottes. Was seit dem Dreißigjährigen Krieg für die Prediger der Kirche das Neue Jerusalem wurde, die hochgebaute Stadt des Lichts, das war für die ans Diesseits denkenden Machteliten des Ancien régime Arkadien: Land der Seligen, die an murmelnden Bächen ihre Ziegen weiden und der folgenlosen Liebe huldigen, ungestört von Schnupfen und Schwangerschaft, Eifersucht und Ehescheidung. Wer erdnäher dachte, dessen Arkadien fand sich bald in Nordamerika. Seit 1783 bot sich dort den Träumern der Revolution wie den Grundstücksspekulanten Europas ein Boden, der nach Acres zählte und nicht nach poetischen Versen.

Je übler die Zeiten wurden, desto stärker war immer das Bedürfnis, die Wirklichkeit zu transzendieren und aus dem Jammertal sich fortzudenken in den *hortus conclusus* der fernsten Vergangenheit und der fernsten Zukunft, jenseits der realen Welt. Marie-Antoinette ließ die »laiterie« in Rambouillet anlegen als Geste der Flucht nicht nur vor der heraufziehenden Krise des Ancien régime, sondern auch vor den Anforderungen der halb gefürchteten, halb herbeigesehnten Vernunftdiktatur der Zukunft.

Das Arkadien der Bildungsmenschen des späten 18. Jahrhunderts, denen Rousseau den Weg zurück zur Natur wies, lag in den Alpen, irgendwo in der Umgebung des Vierwaldstätter Sees beim währschaften Schweizer Volk. 1778 hat Philipp Hackert, Hofmaler in Neapel, diese Stimmungen gezeichnet. Reisenden Mylords malten seine Nachahmer immer wieder Bilder von Landschaften voll Glück und Abendsonnenschein, Zeugnisse einer Spätkultur. Die Größe der Natur und die Kleinheit der Menschen, das Unbehagen an der Zivilisation und die Sehnsucht nach Ganzheit: je weniger die Herrschaftsmagie des Ancien régime noch zählte, desto mehr griff um sich, was Alexis de Tocqueville bereits bemerkte: das schlechte Gewissen. Es suchte Trost in den Landschaften der Seele.

Die politische Romantik, die auf den Wiener Kongreß mit dem Angriff auf die Vernunft und das geltende Staatensystem antwortete, begnügte sich nicht mit Bücherverbrennung und Verklärung des Mordes am Dichter Kotzebue. Sie fand ihr politisches Arkadien, als die britische Flotte mit der Zerlegung des Osmanenreiches begann, im Kampf um die griechische Freiheit. Aber Griechenland wurde konstitutionelle Monarchie und damit langweilig. So war es Polen, das die Geister entzündete, Generation auf Generation, bis Lord Palmerston im britischen Unterhaus über die von Tennyson angeführten Polenschwärmer, die 1863 Krieg gegen Rußland wollten, abschließend bemerkte, sie wüßten nicht, wo Polen auf der Landkarte Europas zu finden sei.

In der Tat geht es der politischen Romantik, die von der Freiheit ferner Länder träumt, nicht um die fernen Länder: Sie sind nur Vorwand. Die Suche gilt dem Garten Eden auf Erden, dem radikal anderen Land, das Hoffnung birgt auf irdische Erlösung. Die deutschen Polenschwärmer von 1830, 1848 und 1863 meinten immer Deutschland, und der schärfste und militanteste Rufer gegen den zaristischen Despotismus war 1848/49 niemand anderer als Dr. Karl Marx: Durch den Kreuzzug gegen Rußland wollte er die Sozialrevolution Europas auslösen, ein neues 1792.

Daß sich die ortlose Suche nach dem neuen Land der Heiligen stets verbindet mit revolutionärem Aufräumen am eigenen Ort, versteht sich von selbst. Das ferne Arkadien ist nur Metapher. Für die Deutschen allerdings lag das Gelobte Land seit 1848 mitten in Europa. Doch fanden sie es schwer, seine Grenzen zu bestimmen und innerhalb dieser Grenzen eine Ordnung zu finden. Die Bismarcksche Lösung war nicht Arkadien, nicht Großdeutschland vom Rhein bis zur Donaumündung: Das Reich von 1871 verband preußische Staatsräson und europäische Vernunft, letztere allerdings fatal gemindert durch die Annexion des Elsaß und des östlichen Teils von Lothringen.

In den USA war es nicht nur die »manifest destiny«, die solches Sehnen auf sich zog, und am fernen Horizont »the shining city on the hill«, sondern auch die »frontier«, die jedesmal weiter nach Westen wich, wenn Eisenbahnen und Siedler an sie zu stoßen schienen. Die kontinentale Nation jenseits des großen Wassers war noch auf ein ganzes Jahrhundert sich selbst Vision genug. Nicht so die deutsche Nation, nicht so die Generation des Aufbruchs in der Zeit des neuen Optimismus, der mit der weltweiten Konjunktur seit 1895 zurückkam.

War den Achtundvierzigern Deutschland das Traumland gewesen, so träumte schon die auf Bismarck folgende Generation der Deutschen über die Grenzen des Reiches hinaus. Max Weber, der Rationalist, forderte doch in seiner Freiburger Antrittsvorlesung damals eine neue »große Politik«: Weltpolitik sollte dem deutschen Bürgertum zu jener Bestimmung verhelfen, die es im Verwaltungsstaat nicht finden konnte. Die Bürgersöhne und Bürgertöchter aber suchten mit der Seele auf dem Hohen Meißner neues Land: das Land der blauen Blume, der inneren Wahrhaftigkeit, der Unbedingtheit jenseits von Konvention und Kapitalismus. Rilkes »Kornett« wurde am Lagerfeuer gelesen: Liebe und Tod, auf erhabene Weise sinnlos, irgendwo in fernen Landen auf einem Kreuzzug ohne Maß und Ziel.

Das Bewußtsein der Gefahr hatte den arkadischen Traum erzeugt, das Zeitalter des Weltbürgerkriegs seit 1917 zeichnete das befreite Land auf den Landkarten der Intellektuellen leuchtend blutrot ein. Die deutsche Linke, soweit sie nicht wie die Führer der Sozialdemokratie und der Gewerkschaften von Angst gepackt wurde, hatte seitdem ihre sozialistischen Traumländer. Seit 1917 hatte das Paradies einen Namen, Sowjetrußland, und um ins Paradies zurückzufinden, war kein Weg zu steinig, kein Preis zu hoch.

Der Weltentwurf der Demokratien, von US-Präsident Wilson verkündet und von den Westeuropäern in Paris 1919 desavouiert, gewann dagegen wenig Kraft. Zwischen dem Dritten Rom unter der Roten Fahne und dem Dritten Reich wurde die Republik, der die Republikaner fehlten, aufgelöst. Den beiden feindlichen Bürgerkriegsparteien in Deutschland fehlte es nicht an Wahlverwandtschaft. Denn auch das nationalsozialistische Millennium und die blutige Vision des Großgermanischen Reiches lebten aus romantischem Rückschlag, Verweigerung der

Modernität und magischem Heilsversprechen. Das »Dritte Reich« lag nach alter Überlieferung nahe beim Himmelreich, in der Realität des 20. Jahrhunderts aber erwies es sich als Teil der Hölle. Die authentische Renaissance der romantischen Geographie folgte auf 1945: Der Kampf gegen Faschismus und Nationalsozialismus war auf lange Zeit die ideologische Batterie, die auch dann noch die Motoren speiste, als Hitler und Mussolini längst zur Hölle abgefahren waren. Daß indes Stalin nicht über dem Paradies präsidierte, sickerte in der europäischen Linken durch.

So war es Jugoslawien, das den Traum vom Sozialismus ohne Stalin zu retten hatte. Danach folgte Algerien, wo die von Restaurationen enttäuschte Linke im Freiheitskampf der ehemaligen Kolonialländer das Heil vermutete. Seit 1960 war Kuba das Land, das die deutschen Romantiker mit der Seele suchten, und wenig später wurde Ho Tschi Minhs Vietnam entdeckt, zusammen mit Maos China.

Heute ist es Nicaragua und morgen ein anderes Land: vielleicht die DDR, vielleicht Mitteleuropa mit blauen Flüssen und grünen Wiesen unter lachendem Himmel. Die unerlösten Paradiese wechseln, und nur solange sie unerlöst sind, sind sie schön: Die jugoslawische Wirtschaftsmisere, die Einparteienherrschaft in Algerien, die Unterdrückung in Kuba verleiten nicht zu Träumen. Was real existiert, wie der Sozialismus an der Macht, verleidet sie eher. China geht andere Wege. Über Vietnam herrscht nur noch betretenes Schweigen. Und Nicaragua wird es ähnlich ergehen.

Die romantische Geographie der Seele lädt nicht ein zum Verweilen. Wie eine Fata Morgana hebt sich das Paradies hinweg, sobald sich der durstige Wanderer nähert. Der Durst aber wird ihm bleiben.

Die Frage bleibt, was die Fata Morgana erzeugt. Denn es wäre zu einfach, sie nur den »ideologues« zuzuschreiben, den bewußten Verführern. Der Traum vom Paradies erzeugt sich selbst. Als es Gott noch gab, war es der Traum von der Heimkehr zu Gott. Und wer von Arkadien dichtete, der ahnte immer schon, daß Hirten und Nymphen in Wahrheit Götter und Göttinnen waren, nicht von dieser Welt und nicht für diese Welt. Sie heischten Glauben, sie standen über den Beweisen.

Thomas Hobbes' Beschreibung des Naturzustandes war bekanntlich furchterregend: *lonesome and poor, brutish, nasty, and short*. Es sind nicht die Erben von Hobbes, die von Arkadien schwärmen. Es sind die Kinder von Rousseau und Marx, die mit der Seele ihre neuen Paradiese suchen, jenseits der Wirklichkeit. Vor ihnen liegt die hochgebaute Stadt auf den Bergen der Zukunft.

Den Ebenen der Wirklichkeit bleibt sie auf immer entrückt. Die romantische Geographie ist das Produkt sozialer Unruhe, tiefen Generationenkonflikts, eines zum Pessimismus treibenden kulturellen »ennui«, eines intellektuellen Legitimitätszweifels und einer utopischen Heilserwartung. Keine Prosperität kann sie stillen, keine freiheitliche Demokratie kann sie je befriedigen.

Dieser Heilserwartung gehen die Entzauberung der Magie und die Säkularisierung des Paradieses voraus. Den Frommen des schrecklichen 17. Jahrhunderts war das Leben lange Prüfung und Pilgerschaft zu Gott. Die »lumières« machten daraus, säkularisiert, die Pilgerschaft zur Liebesinsel Cythère, wie Watteau sie malte: jenseits der bitteren Wirklichkeit des von Krisen und Kriegen geschüttelten Frankreichs ein Paradies, offen allein der Imagination.

Paris zog im Ancien régime die kulturelle Pilgerschaft auf sich und seit 1789 die ideologische, die so enden mußte, wie alle revolutionäre Wallfahrt: in zorniger Enttäuschung. Das Paradies auf Erden hatte fortan seinen Ort gefunden, und doch konnte es sich von Paris 1789 über Warschau, Turin und Frankfurt bis hin nach Petersburg und Moskau schwerelos duch die Lüfte bewegen und seitdem nach Spanien, Jugoslawien, Kuba und Nicaragua. Die Geographie der Romantik braucht keinen Kompaß und keine Uhr, sie braucht nur die Unruhe des Glaubens, dem kein Gott mehr heilig ist. Der Name des ortlosen Paradieses ist Utopie.

5. Dissonanzen des Fortschritts

Was die neuen Technologien für Bildung und politische Kultur bedeuten

Ein Vortrag, Sommer 1985, zur Eröffnung der Villa Vigoni am Comer See.

Die Liebe, die Moral und die Politik stehen nicht im Zeichen des Fortschritts. Es gibt viele Gründe, an der Weisheit von Jean-Jacques Rousseau zu zweifeln. Es besteht wenig Anlaß, seinen traurigen Satz zu bestreiten, es eilten die technischen Fähigkeiten des Menschen ihrer moralischen Bewältigung davon.

Werden die neuen Technologien Rousseau widerlegen? Alles spricht dagegen. Technikbegeisterung und Omnipotenzwahn oder Fortschrittstrauma und Maschinensturm – wie werden wir uns entscheiden? Kulturelle Beschleunigung, ungleichmäßige Entwicklung, moralische Vieldeutigkeit und die Angst, zum Objekt der Entwicklung zu werden: die neuen Technologien von heute können morgen die Existenzfrage für Bildungswesen und politische Kultur aufwerfen.

Drei Dimensionen sind zu unterscheiden: die Chip-Revolution, die technische Kommunikationssysteme und viele Sektoren der Wirtschaft verändert und künstliche Intelligenz ermöglicht; »emerging technologies« im militärisch-taktischen Bereich; Biotechnologien und Gentechnologie.

Wie kein anderes Weltsystem war Europa davon geprägt, daß Schöpferkraft und Zerstörungskraft von Wissenschaft und Technik dialektische Einheit wurden. Wo Ziele und Mittel einander ständig überholten, da waren Fortschrittsangst und Rebellion niemals fern. Doch hat diese Zivilisationsdynamik es den Europäern auch erlaubt, ihr Bild von Mensch und Politik zum Weltentwurf und Mittel ihrer langen Vorherrschaft zu machen.

In der Renaissance trafen die Entdeckung der Welt und des Menschen (Jacob Burckhardt), Entfaltung des Marktes und des Kapitalismus zusammen mit der Idee des Rationalstaats, der Buchdruckerkunst und den Feuerwaffen. Um 1700 setzte sich die wissenschaftliche Revolution durch: Rationale Fragen heischten rationale Antworten, forderten experimentelle Erhärtung und suchten Anwendung. Die »Encyclopédie« wurde seit 1754 zugleich Summe der alten Kulturkenntnis und Ansatz ihrer Überwindung. Hundert Jahre später wurde die überlieferte Wirtschaftsform niedriger Energie durch die Wirtschaftsform hoher Energie ersetzt: Die Dampfmaschine war, wie schon Marx konstatierte, der eigentliche Revolutionär des 19. Jahrhunderts. Wieder ein Jahrhundert später eröffneten Elektrizität, elektromagnetische Wellen, Beton, Billigstahl, Automobil und Flugzeug eine neue Ära für Frieden und Krieg, Zivilisation und Antizivilisation.

1945 revolutionierte die Atombombe Strategie und Politik, bald ergänzt durch weitreichende Träger- und Steuersysteme. Das Nuklearzeitalter war verbunden mit dem elektronischen Zeitalter. Damit dieses den Alltag erreichte, bedurfte es indes noch der Verbilligung und Miniaturisierung. Seit 1953 haben Gentechnologie und Biotechnologie theoretisch, seit den sechziger Jahren praktisch neue Alleen der technischen Intervention eröffnet.

Die Katarakte des Fortschritts sind das eine. Das andere ist der Kern menschlicher Existenz: Hat sich die Conditio humana ähnlich verändert wie die Zivilisation? Die Welt der Gefühle und des Seelenhaushalts blieb sich gleich über die Generationen. Zur ungleichmäßigen Entwicklung zählt auch, daß die Mehrzahl der Menschen an den neuen Technologien nur passiv teilnimmt und die Kluft zwischen Wissenden und Unwissenden wächst.

Die arbeitsteilige Industriegesellschaft braucht, um ihres Überlebens willen, technische Hochleistung, sonst verfallen Prosperität und sozialer Friede, äußere Sicherheit und politische Stabilität. Maschinensturm und Zivilisationsflucht aber bedrohen die politische Kultur, und die technokratische Versuchung weiß nichts von moralischen Grenzen. In der Schönen Neuen Welt blieb der Mensch das altmodischste Element, schwer zu berechnen und nicht zu optimieren.

Die Geschichte der Modernisierung ist deshalb auch eine Geschichte der Rebellionen gegen sie. Das Millennium wurde seit dem Mittelalter wieder und wieder ausgerufen als Befreiung vom Fortschritt, Reich des Friedens und der Gerechtigkeit, als unbewegte Utopie und Ende der Geschichte. Stets ging es darum, zurückzukehren in den Schutz des Alten, den Schoß der Mütter, das verlorene Haus der Gerechtigkeit. Die Rebellion wird vorangetrieben vom Generationenkonflikt. Allerdings weist er verkehrte Fronten auf: Die Jungen kämpfen für das Alte und Eigentliche; die Alten raten, meist vergeblich, zum Arrangement. Die politische Romantik nach 1815 kämpfte gegen den Rationalismus, der mit der französischen Gesetzgebung und den englischen Wirtschaftsformen Deutschland eroberte. Auf der Wartburg 1817 wurde nicht das deutsche Polizeirecht verbrannt, sondern das Werk Voltaires. Wer wollte entscheiden, ob dies revolutionär war oder reaktionär?

Der wiederkehrende Schock kultureller Heimatlosigkeit kommt aus Aufbrüchen, die Abschiede waren. Seit 1789 sei alles »Revolutionszeitalter«, bemerkte Jacob Burckhardt achtzig Jahre später. Die deutsche Geschichte kennt mit der radikalsten Modernisierung im 19. Jahrhundert auch die radikalste Revolte gegen sie im 20. Jahrhundert. Aus Krise und Sturz des liberalen Staats und der bürgerlichen Gesellschaftsordnung im Weltkrieg und nicht minder aus dem leninistischen Vor- und Gegenbild speiste sich die nationalsozialistische Revolution wider alle Revolutionen. Sie lebte aus dem romantischen Rückschlag wie aus dem Drang, alles Alte technisch zu überholen. Die totalitäre Versuchung aber hätte nicht die Wirkung entfalten können, die sie bei Massen und Eliten gewann, wäre in ihr nicht die Verweigerung der Ratio im 20. Jahrhundert enthalten gewesen.

Skepsis vor jenem Fortschrittsglauben, der seinen Preis nicht kennt, ist Bürgertugend. Neuerdings aber erzeugt der Zweifel an Wissenschaft und Technik nicht nur jene Gesten der Abwehr, die in selbstgestrickten Sweatern und postmoderner Architektur ihren freundlichen Ausdruck finden. Der Protest macht Maschinensturm und Anti-Atom-Theologie zu seiner Sache und bleibt nicht stehen vor den Normen der parlamentarischen Demokratie und dem Friedensgebot des Rechtsstaats. Angst und Panik sind Geschwister. Und leichtfertig wäre es, das Verhältnis von Technik und politischer Kultur als Sache zwischen Machern und Spinnern oder als Objekt esoterischer Kamingespräche zu sehen. Hier liegt eine Sprengkraft, welche die politische Kultur bedroht, deren Geschäftsgrundlage der Rationalismus ist.

Im Hintergrund des Problems stehen Fragen, die über Bildung und Ausbildung hinausgreifen. Und doch liegt hier ein Ansatzpunkt verantwortlichen Handelns. Die neuen Technologien werden uns beherrschen, wenn wir sie nicht beherrschen. Das aber erfordert, die Frage zu stellen, was in der arbeitsteiligen Industriegesellschaft Sinn, Zusammenhang und Richtung stiftet.

Was man von einem im wesentlichen in der Hand des Staates befindlichen Bildungssystem erwarten kann und soll, ist umstritten. Hierzulande wurde der Streit zum Glaubenskampf. Dabei besteht von Bologna bis Berkeley Übereinstimmung in wichtigen Punkten. Das Bildungssystem soll zum Beispiel traditionelle Kulturtechniken weitergeben, Zeichen und Symbole vermitteln, Lebensformen in ihrer Wandelbarkeit wie in ihrer Kontinuität übertragen. Es soll spezialisierte Techniken bewahren, entwickeln und verknüpfen und die Nicht-Fachleute noch das Alphabet zur Entzifferung der wissenschaftlich-technischen Entwicklung lehren. Endlich soll es die Verbindung zwischen politischer Kultur und technischer Entwicklung sichern, romantischen Rückschlag und Maschinensturm auffangen und die Techniker mahnen, daß der Sinn ihres Handelns im politischen und moralischen Ganzen liegt.

In drei Bereichen ist die Sicherung dieses Kulturzusammenhangs zugleich existentiell notwendig und – jedenfalls im westlichen Deutschland – zunehmend gefährdet: in der politischen Kultur, im Sicherheitskonsens und in der geistigen Lebensform.

1. Die politische Kultur der liberalen Massendemokratie ge-

rät in Gefahrenzonen, wenn moderne Technologien nicht mehr verstanden oder nur noch als Bedrohung empfunden werden. Bei wirtschaftlichem Wachstum und ökologischem Gleichgewicht ist das Verhältnis, das zeigt die Erfahrung seit 1949, produktiv und stabil. Aus Stagnation aber folgt nach aller Erfahrung Lebensangst, aus ökologischer Belastung Zivilisationshaß. Ein Riß tut sich auf in der Massendemokratie.

2. Moderne Technologien zwingen der Außenpolitik ihre Logik auf, und die politischen Systeme brauchen viel Zeit zur Anpassung. Die Existenz von Nuklearwaffen in Kombination mit weitreichenden Träger- und Steuerungssystemen beherrscht seit 25 Jahren das Ost-West-Verhältnis im Antagonismus wie im Versuch der Rüstungskontrolle. Die strategische Verteidigungsinitiative des amerikanischen Präsidenten zeigt dramatisch, wie technologische Leistung strategische und politische Qualität annimmt.

3. Vor 25 Jahren beklagte C. P. Snow den Riß zwischen den zwei Kulturen Arts and Sciences. Der Homo faber und der Homo doctus führen einen Dialog der Schwerhörigen. Wilhelm von Humboldt schrieb 1809: »Das hauptsächlichste Bemühen muß... dahin gehen, durch die ganze Nation... die Empfindung nur auf klaren und bestimmten Begriffen beruhen zu lassen und die Begriffe so tief einzupflanzen, daß sie im Handeln und im Charakter sichtbar werden.« Was blieb davon? Nicht mehr als von Burckhardts Feststellung, eine Kultur bedürfe der »geistigen Tauschplätze«.

Fortschritt gibt es in der technischen Lebensbewältigung, aber jeder Fortschritt fordert über lang oder kurz einen Preis. Gleichwohl bleibt der technische Fortschritt Lebensgesetz der Industrienationen.

Der Citoyen des 21. Jahrhunderts muß mehr sein als ein passiver Technologiekonsument und ein vor Bildschirmen und Displays staunender Ignoramus: Anders wird er Untertan der Wirkungskriterien und der Apparate, und die Rebellion dagegen ist unausbleiblich. Wir haben es in Deutschland erlaubt, daß die kulturellen Ligaturen, die aus dem Bildungssystem kommen, nicht mit Schonung behandelt, sondern leichtfertig oder mit Absicht zerstört wurden. Versäumen wir, den Boden wieder zu befestigen, auf dem wir stehen, dann gehen wir bösen Zeiten entgegen.

Für den Rest dieses Jahrhunderts steht das Paradigma des Fortschritts noch mehr in Zweifel als an seinem Anfang. Bei alledem sind die Bundesländer, die Republik und selbst der geplante europäische Technologieverband nicht Handlungsrahmen, sondern nur Organisationsforum unserer Anstrengung. Für die auf weltwirtschaftliche Verflechtung angewiesenen Europäer ist das Bezugssystem global. Eine Re-Nationalisierung angesichts der Dynamik der neuen Technologien, aus Angst vor Technikfolgen oder zum Schutz von Arbeitsplätzen wäre nicht ein Ausweg, sondern ein Irrweg.

Um der Sicherheit der Bundesrepublik Deutschland willen ist es notwendig, daß wir die stärksten Förderer dieses europäischen Technologieverbundes sind. Denn unsere Sicherheit liegt nicht allein in den vertraglichen Garantien, sondern auch in der technologischen Leistung Westeuropas. Dieses Kapital gilt es technisch zu mehren und politisch zu nutzen. Dann gibt es weder Abkoppelung noch Objekt-Rolle Europas. Ob Europa für die Vereinigten Staaten auf lange Sicht ein Lebensinteresse bleibt, bemißt sich zuletzt nicht nach dem Maß der Zustimmung zu strategischen Doktrinen, sondern nach politischem Zusammenhalt, Wissenschaftsleistung und dem Maß an Selbstbestimmung, das wir in der Sicherheit gewinnen. Ohne die neuen Technologien bleibt alles Illusion.

Dazu ist vordringlich, das System der Bildung mit der Absicht zu erneuern, die Bindungskräfte unserer Zivilisation zu stärken. Die Einheitsschulmaschine hat sich nicht bewährt und auch nicht das System des Abwählens unbequemer Fächer, die Universitätsspielerei im fortgeschrittenen Kindesalter, die Prämien auf die Frühspezialisierung. Harvard fordert längst wieder Allgemeinbildung und spezialisierte Hochleistung, und dies in einem Klima sozialen Ausgleichs und scharfen intellektuellen Wettbewerbs. Wer außer konservativ gewordenen Alt-Reformisten hindert uns, aus Erfahrung klug zu werden?

Bestand wird allein jene politische Kultur haben, die dem Menschen ein Stück seiner Souveränität zu bewahren hilft. Denn noch in der bizarrsten Rebellion der romantisch Jugendbewegten und ihrer Erben ist das Streben erkennbar, der Entfremdung zu entgehen und sich wiederzuerkennen im Spiegel der Gegenwart.

Das konservative Denken zwar haßt die Disziplinlosigkeit der chiliastischen Bewegungen und verachtet ihren technischen Defätismus. Aber es teilt die Gefühle des Abschieds.

Am Ende des 20. Jahrhunderts bietet sich wenig Anlaß zu der Vermutung, die Rebellionen gegen Kultur und Technik seien verbraucht, und es ginge allein noch um Ausbau und Verbesserung im Sozialen. Wenn es richtig ist, daß in den Schönen Neuen Welten der Mensch der altmodischste Bestandteil blieb, dann ist der Zusammenhang zwischen neuen Technologien und politischem System in permanenter Gefahr, und das Bildungssystem als Scharnier muß revidiert werden.

Das 20. Jahrhundert, das mit den technischen Kathedralen und Max Webers Theorie der Rationalisierung der sozialen Verbände begann, brachte nicht nur die großen Revolutionen und Anti-Revolutionen hervor. An seinem Ende erweist es sich als die Epoche der Ayatollahs und der Suche nach dem Millennium. Hat Nietzsche nicht gewarnt, hat Freud umsonst geschrieben? Die Frage ist nicht allein, wie die neuen Technologien die parlamentarische Demokratie beeinflussen und das Bildungssystem verändern. Die Frage lautet längst, wie den Rebellionen vorzubeugen ist, die sie selbst verschlingen und mit ihnen alles, was der alte Kontinent an Bildung und politischer Kultur noch bewahrt. Ohne schmerzhafte Überprüfungen wird das nicht abgehen.

6. Energie: Die Rechnung ohne die Wirklichkeit

Zur Debatte über die Kernkraft

Prometheus stahl den Göttern das Feuer. Dafür wurde er an den Felsen geschmiedet, und Tag für Tag riß ihm ein Adler,

Bote des Zeus, die Leber aus dem Leib. Der Mythos verrät die Angst des Menschen, der sein Schicksal meistern will, vor den Folgen des Frevels.

Die Energie zu beherrschen, ohne von ihr beherrscht zu werden: dieses Ziel hat sich den Menschen stets entzogen. Die Mittelmeerländer bleiben gezeichnet vom Raubbau der Wälder, die einst dort waren. Und wären nicht die Regenwolken des Atlantiks Englands Bewässerungssystem, so hätten die Stahlschmieden des 17. Jahrhunderts das Land unbewohnbar hinterlassen. Als die Nürnberger merkten, daß ihre Metallindustrie den Reichswald konsumierte, erfanden sie vor mehr als 500 Jahren die Waldsaat. Seitdem mißlang es der Menschheit, genug erneuerbare Energie zu erschließen.

Die Energiefrage verdeutlicht Arnold J. Toynbees große Geschichtstheorie über die Entstehung der Hochkulturen durch »challenge« und »response«. Durch die Wirtschafts- und Technikgeschichte Europas zieht sich das Leitmotiv der Energieknappheit. Mit ihr verbunden bleibt das Versprechen, daß die Erde erben wird, wer sich der höheren Energie bemächtigt. Die Erfindung der Wassermühle im hohen Mittelalter eröffnete Europa eine lange Epoche der Prosperität. Seit der Hanse trugen Segelschiffe den Handel und die Machtprojektion Europas über See. Im 18. Jahrhundert sicherten Kanonen und Musketen Überlegenheit. Um 1800 indes war das politische Ancien régime erschöpft, und Alteuropa war auch ökonomisch am Ende. Die Bevölkerung wachse in geometrischer, die Nahrung nur in arithmetischer Reihe, bemerkte der düstere Ökonom Thomas Robert Malthus. Es öffnete sich die »malthusianische Falle«.

Aber die Europäer entgingen ihr. Die Dampfmaschine eröffnete das Industriezeitalter. Stadt und Land wurden durch die Fabrik umgeformt. Lokomotive und Eisenbahnen bewirkten die Verkehrsrevolution. Die Zähmung der Dampfkraft ersparte den Europäern den Bürgerkrieg.

Eine neue Umwälzung der Lebensformen entstand um 1900 durch die Elektrizität und noch einmal nach dem Zweiten Weltkrieg, als drei Schubkräfte das europäische Wirtschaftswunder bewirkten: der hohe Dollar, das billige Öl und mehr als genug

Arbeitskraft. Es war ein Verhängnis, daß die Kraft aus dem Atom sich den Industriegesellschaften einprägte als Bombe und nicht als rettende Energie nach dem Öl. Über den Kuppeln und Türmen der nuklearen Zentralen – jagen dort die Reiter der Apokalypse?

Politik ist nach der einen Definition die Kunst des Möglichen, nach der anderen das Wählen des kleineren Übels. Die Bundesrepublik kann von der Nuklear-Energie Abschied nehmen, oder sie kann Industriegesellschaft sein, beides kann sie nicht. Die Ölvorräte der Welt sind begrenzt, Fachleute halten einen Preis von 50 Dollar je Faß bis Ende dieses Jahrhunderts für möglich. Dann wird Öl statt Brennstoff nur noch Rohstoff sein. Die Ölschocks von 1973 und 1979 waren nur Vorgeschmack dessen, was der Welt bevorsteht. Wind und Wasser haben die in sie nach 1973 gesetzten Hoffnungen enttäuscht. Daß Sonnenenergie die Hauptlast tragen könnte, ist vorerst nicht Analyse der Wissenschaft, sondern Versprechen der Politik.

Auch Modelle für wachsende Nutzung der Kohle machen die Energie-Rechnung ohne den Wirt. Die Aufladung der Atmosphäre durch Kohlendioxid setzt enge Grenzen. Der Treibhauseffekt kann das Klima der Erde erwärmen, die Polkappen abschmelzen, den Meeresspiegel steigen lassen und die Landkarte dramatisch verändern. Je mehr in den Entwicklungsländern der Lebensstandard steigt, desto mehr brauchen wir ein weltweites Regime für Nutzungs- und Belastungsrechte der Atmosphäre: Nichts dergleichen ist in Sicht.

Das Desaster in der Sowjetunion lenkt die Gedanken in die richtige Richtung und in die falsche. In die falsche, weil Angst noch nie ein guter Ratgeber war. Und in die richtige, weil die Entwicklung der großen anderen Energie nach Wasser und Wind, Kohle, Öl und Kernenergie sich als Lebensfrage stellt. Wer die Energie-Falle überwindet, der braucht um Prosperität, Export und Beschäftigung nicht zu fürchten.

Solange aber diese Energie-Revolution – denn um nicht weniger geht es – noch vor uns liegt, bleibt nach dem ernsten Sparen und dem vernünftigen Ausgleich der Verbrauchswellen Optimierung der Nukleartechnik der Weg. Es wäre eine bittere Ironie, wenn die Katastrophe einer Fabrik für nukleare Waffen in der Sowjetunion die Industriegesellschaft in Deutschland lahmlegte. Es wäre die absurde Pointe, wenn die Ankläger der »neuen Armut« von heute morgen verantwortlich wären für eine Industrielähmung, neben der die Weltwirtschaftskrise der dreißiger Jahre sich ausnähme wie ein Kinderspiel.

Zurück zur Natur ist nicht Traum, sondern Alptraum. Ohne hochentwickelte Technik sind die Folgen der Industrialisierung nicht zu bewältigen. Wer den Völkern die Abschaffung der Nuklearwaffen verspricht, so hat das Internationale Institut für Strategische Studien kalt konstatiert, »geht mit Humbug hausieren«. Wer beim gegenwärtigen Stand von Physik und Technik sagt, ohne Nuklearenergie gäbe es einen Industriestandort Bundesrepublik, tut nichts Besseres. Es gibt Grund, sich der Qualen des Prometheus zu erinnern.

7. Tauroggen

Vor 45 Jahren, die deutsche 6. Armee ging in Stalingrad unter, wollte der Major im Generalstab Claus Graf Schenk von Stauffenberg den Oberbefehlshaber der Heeresgruppe Süd in Taganrog zum verantwortlichen Handeln gegen den Tyrannen gewinnen. Andeutend und beschwörend sagte er: »Tauroggen.« Ein Fühler zu den Russen? Stauffenberg wollte vollendete Tatsachen schaffen: »Auch Tauroggen war höchste Loyalität.« Aber es war nicht Loyalität zum Diktator. Vaterlandsliebe und Staatsräson wurden aufgerufen im Namen einer geschichtlichen Tradition. Wie man weiß, vergeblich.

Tauroggen, der Ort an der alten Ostgrenze Ostpreußens, zählt zu den Namen, die keiner mehr nennt. Tauroggen, das Symbol, steht für die politische Verantwortlichkeit des militärischen Führers, aber auch für preußisch-russische Affinitäten. Tatsächlich war die Konvention des 30. Dezember 1812, wie der britische Diplomat und Historiker Harold Nicolson am Ende des Zweiten Weltkriegs schrieb, der Stein, der ins Wasser geworfen wurde und dessen Wellen die Tiefen aufrührten.

In den letzten Tagen des Entscheidungsjahrs 1812, als Napoleons Grande Armée auf dem Rückzug aus Moskau am Sterben und Verderben war, war noch vieles offen. Würde der Zar Mitteleuropa erobern oder die Deutschländer befreien? Würde dem Empire français das russische Imperium folgen oder das europäische Gleichgewicht? In der Mühle von Poscherun begann eine Ereigniskette, die nicht nur zur Niederlage Napoleons führte, sondern auch zum Wiener Kongreß; nicht nur zur Einordnung Rußlands in das europäische Gleichgewicht, sondern auch zum Friedenssystem des 19. Jahrhunderts, das bis 1914 hielt.

Was in Tauroggen auf preußischer Seite General von Yorck mit 14000 Mann, auf russischer der Generalquartiermeister von Diebitsch unterzeichnete, war eine Neutralitätskonvention, nicht mehr, aber auch nicht weniger. Die Punktation wies dem preußischen Korps – vordem war es die 27. Division der Grande Armée gewesen – ein Gebiet an, wo es bis zur Entscheidung König Friedrich Wilhelms III. neutral stehenbleiben sollte. Würde der Monarch in Berlin anders entscheiden wollen – was nach allen vorausgegangenen Weisungen unwahrscheinlich war – oder würde er anders entscheiden müssen – das hing vom Kriegsglück ab –, so sollten die blauen Soldaten noch zwei Monate lang nicht gegen den Zaren kämpfen. Yorck an seinen König: »In dem Ausspruch Ew. Majestät liegt das Schicksal der Welt.«

Renversement des alliances? Gefangene des Zaren waren die Preußen nicht. Aber Verbündete Napoleons waren sie noch weniger. Was waren sie dann? Für den Zaren Geiseln preußischen Wohlverhaltens. Napoleon bemerkte, diese Wendung zähle in militärischer Hinsicht nichts, in politischer sehr viel. Zwischen Ostkaiser und Westkaiser war Preußen durch seine Lage im Zentrum des europäischen Schachbretts in eine Entscheidungsrolle geraten: Subjekt nicht, aber auch nicht Objekt.

Für Preußen kam alles darauf an, nicht zwischen Hammer und Amboß zu enden, und das erklärt das Zögern in Berlin. Das Floß im Njemen war noch unvergessen, wo Alexander und Napoleon fünf Jahre zuvor die Welt aufgeteilt hatten und Preußen mit. Ungewiß war auch, ob das eiserne Würfelspiel in einem neuen Jena und Auerstedt enden würde, wie 1806, oder ob Napoleon durch Europa zu besiegen wäre. Neutralität in der europäischen Mitte? Wenn Tauroggen die Chancen erwies, so noch mehr die Grenzen.

Aber das ist nicht alles. Der Brite Harold Nicolson hat entgegen aller herkömmlichen Weisheit in seinem Buch von 1946 das Entkommen Napoleons an der Beresina und die rasende Fahrt zu den Tuilerien im Wettlauf mit der Katastrophennachricht als einen Segen für Europa bewertet: Allein dadurch, daß Napoleon und die französische Macht, angeschlagen zwar, überlebten, gab es hinreichend Gegenmacht zu der des Zaren. Erst in dieser Konstellation sei von neuem Gleichgewicht auf dem Kontinent, erst durch Einbeziehung Frankreichs das Stabilitätssystem des Wiener Kongresses möglich gewesen.

Aber ohne Tauroggen wäre daraus nichts geworden und ohne den Mut eines preußischen Generals nichts aus Tauroggen. Wer in der Konvention von 1812 allein den Seitenwechsel der Preußen auf die russische Seite sieht, dem entgeht die politische Pointe der Geschichte: daß nämlich das Bündnis mit dem Zaren die Bedingung war, unter der Europa, während es die untergehende französische Hegemonie bekämpfte, sich der aufgehenden russischen erwehrte.

Was am 30. Dezember des Jahres 1812 geschah, zählt zu jenen historischen Konstellationen, welche Stefan Zweig emphatisch »Sternstunden der Menschheit« genannt hat. Preußen hat vor 175 Jahren nicht nur sich selbst, sondern Europa einen Dienst erwiesen – unter Einsatz der eigenen Existenz. Was davon blieb in der seitdem ruinierten preußisch-deutschen Geschichte? Kaum mehr als von Preußen selbst. Allenfalls die Einsicht, daß im Guten wie im Bösen Preußen Teil des europäischen Systems war und, was Bismarck nie vergaß, ohne dieses System schwerlich überdauern konnte. Dazu die bittere Erkenntnis – und sie lag im Kern dessen, was der Major Graf Stauffenberg dem Feldmarschall in Taganrog einzuhämmern suchte –, daß ohne Deutschland Europa nicht überdauern würde und ohne Aufstand gegen die Tyrannei es um Deutschland geschehen wäre.

8. »Gemeinsame Sicherheit« – Vergangenheit und Versprechen des Elysée-Vertrags

Verträge welken, nach dem ungalanten Wort des General de Gaulle, wie die Rosen und die jungen Mädchen. Der deutsch-französische Vertrag, den er mit Bundeskanzler Adenauer am 22. Januar 1963 unterzeichnete, ist diesem Schicksal nicht entgangen. Die Gründe lagen in der Vertragsarchitektur, im Ost-West-Konflikt und im atlantischen Verhältnis. Was Entente cordiale sein sollte, wurde – im Niedergang der Ära Adenauer und im Zenith der Ära de Gaulle – in Bonn Drehpunkt einer atlantischen, in Paris einer nationalen Wendung.

Seitdem indessen am 20. Jahrestag der Unterzeichnung Staatspräsident Mitterrand im Deutschen Bundestag – kurz vor den Wahlen des März 1983 – für die Renaissance des Vertrages und den NATO-Doppelbeschluß sprach, gewann der Vertrag neue Substanz und Reichweite und hat sie bis heute. Die verlorene Zeit zwar holt niemand zurück. Aber unübersehbar ist, daß das Jahrzehnt der Raketenkrise die Garantien Amerikas für Europa veränderte, daß sich die Deutsche Frage in ihren Verankerungen bewegt und daß das Bedrohungsgefühl in Frankreich wächst. Das alles erinnert an jene tieferen Beweggründe, die de Gaulle und Adenauer im Elysée-Vertrag mehr verbargen als bloßlegten. Sowjetischer Druck und amerikanischer Unilateralismus, »incertitudes allemandes« und französische Selbstzweifel tragen dazu bei, daß Deutsche und Franzosen die Allianz höher notieren als jemals seit ihrer Begründung.

In seiner Architektur war der Vertrag für die deutsche Seite, vor allem Adenauer, mehr ein Abschluß als ein Anfang. Abschluß jenes deutsch-französischen Verhältnisses, das 1944/45 mit Teilungsplänen und Kontrolle begonnen hatte, 1949/50 mit Schuman- und Pleven-Plan zur Integration überging und dann in der Mitte der fünfziger Jahre die Bundesrepublik in NATO, EWG und Euratom einband und die Deutsche Frage europäisierte. Konrad Adenauer – »Staatsmann der Sorge« nach dem Wort Golo Manns – wollte sein Werk krönen und die Deutschen – »politische Träumer« nannte er sie – gegen sich selbst sichern. Er wollte, so sagte er seinen Vertrauten 1962, das deutsche Volk festbinden. »Es sei nicht so, daß man sicher sein könne, daß es nicht plötzlich doch mit Rußland gehe und zwischen den beiden Blöcken tanze.« Und er wollte auch Frankreich hindern, das alte Spiel mit Rußland neu zu spielen: »Wenn es das aber tue, sei Deutschland verloren und damit auch Westeuropa.«

Für das Frankreich de Gaulles dagegen war der Elysée-Vertrag vor allem Anfang. Seit der Suez-Krise und dem Zweifel an den amerikanischen Nukleargarantien 1956 baute das Land die nationale atomare Waffe auf. De Gaulle hatte niemals die Rückzüge der Angelsachsen nach dem Ersten Weltkrieg vergessen – und auch nicht Dünkirchen 1940. Er beanspruchte europäische Führung, aber er bot keinen europäischen Bundesstaat. Die Bundesrepublik sollte folgen – aber wohin? Das »Non« des Generals zum britischen EWG-Beitritt kam nicht aus Starrheit, sondern beruhte auf einer anderen, engeren Europa-Idee als der in Bonn allein mehrheitsfähigen.

Der Elysée-Vertrag sah – und sieht – intensive und regelmäßige Konsultationen vor zwischen Regierungschefs und Ministern ebenso wie auf der nachgeordneten Ebene. Für Außen- und Verteidigungspolitik wollte man gleichgerichtete Haltungen anstreben. Enge Zusammenarbeit in allen Jugend- und Erziehungsfragen wurde festgelegt: was unter anderem das Deutsch-Französische Jugendwerk zur Folge hatte.

Bevor aber die Tinte unter dem Vertrag getrocknet war, entzogen schon die gegensätzlichen »sous-entendus« dem Vertrag die vorwärtsweisende Kraft. Während de Gaulle den Deutschen nuklearen Schutz, Mitsprache und vielleicht einmal Mitgestaltung in Aussicht stellte, entschied sich die Bundesrepublik für eine Nuklearpolitik im Rahmen des atlantischen Bündnisses – und konnte nach Lage der Dinge gar nicht anders. Ludwig Erhard, der designierte Adenauer-Nachfolger, große Teile der Regierungskoalition und die parlamentarische Opposition setzten auf Erweiterung der europäischen Integration, atlantische Solidarität und Amerikas »erweiterte Abschreckung«. Der Preis der Ratifikation wurde eine Präambel, welche die deutschen Prioritäten zum Ausdruck brachte: Partnerschaft mit den USA, NATO-Integration, Einigung Europas durch EWG-Erweiterung, Beitritt Großbritanniens, Kennedy-Runde.

Für de Gaulle war damit der Vertrag entwertet. Später sagte er, die enge Bindung Bonn-Washington habe den Vertrag um »Geist und Substanz« gebracht. Frankreichs Politik des »leeren Stuhls« in der Europäischen Gemeinschaft und der Rückzug aus der militärischen Integration der NATO waren die Quittung. Doch vergaß auch de Gaulle niemals, daß für den Weg zurück zum Nationalstaat Europa zu eng ist und daß Frankreichs nukleare Souveränitätsgeste davon abhängig bleibt, daß östlich von Straßburg befreundete Truppen stehen und westlich der Atlantikhäfen die Nuklearwaffen der befreundeten Großmacht.

»Deutschland bewegt sich«, schrieb 1984 Henri Froment-Meurice, einer der erfahrensten Diplomaten Frankreichs. Er knüpfte daran die Folgerung, die heute Konsens ist, daß Frankreich sich engagieren müsse, um die Bedingungen seiner Sicherheit zu beherrschen. Dazu gehört ebenso die amerikanische Garantie wie die Solidarität mit den Deutschen, und dies quer, wenn man die Kommunisten ausnimmt, zu allen Parteigrenzen.

Eine französische Politik des vollen konventionellen Engagements, auch ohne daß Frankreich seine nukleare Macht teilt und in die NATO militärisch zurückkehrt, erscheint heute denkbar und möglich. Die deutsch-französische Brigade kann und soll nach dem Willen beider Seiten nur Anfang sein. In Paris spricht man offen von der Vorwärtsstationierung einzelner französischer oder gemischter Großverbände, und sie heißen nicht mehr, wie vor 18 Jahren, »les enfants perdus«. Der neue Verteidigungsrat gibt den Konsultationen und Koordinationen des Elysée-Vertrags feste Form. Mit einem in Regierungsdokumenten seltenen Anflug von Ironie spricht das Protokoll von »gemeinsamer Sicherheit«. Auf höchster Regierungsebene ist der Rat Beschlußgremium für alles, was die militärische Zusammenarbeit berührt, einschließlich Rüstung und Rüstungskontrolle. Instrument und Form sind damit geschaffen, die militärische Distanz Frankreichs zum Nordatlantikpakt wenn nicht aufzuheben, so doch zu überbrücken. Frankreich sucht die Bedingungen seiner Sicherheit zu beherrschen und bemerkt aufs neue, daß dies national nicht mehr zu haben ist.

Die europäische Hochtechnologie bleibt bei alledem nicht nur Klammer und Element wissenschaftlicher und industrieller Zusammenarbeit. Sie versichert auch die europäische Sicherheit und macht sie unentbehrlich für das atlantische System und für die Vereinigten Staaten. Das Europäische Währungssystem hat sich in den Dollarkrisen eminent bewährt, bedarf aber der Erweiterung und der institutionellen Vertiefung. In der Herstellung des großen europäischen Marktes 1992 liegen wirtschaftliche und politische Kraftelemente, die nicht verlorengehen dürfen. Für alles dies ist Vorbedingung die deutsch-französische Entente.

Aber man wird weitergehen müssen als Währung, Wirtschaft und Verteidigung. Man muß den Mut haben, das Wort *Konföderation* wieder auszusprechen. Man muß, um das französische Wort zu gebrauchen, zu organischen Bindungen zwischen den Staaten selbst kommen, und darin liegt der vornehmste Sinn des Verteidigungsrates.

Wie vor 25 Jahren geht es auch heute um das Bedingungsgefüge europäischer und atlantischer Komponenten. Die zwei Jahre zwischen den französischen Präsidentschaftswahlen und den deutschen Bundestagswahlen sind günstig. Aber Zeit ist nicht zu verlieren, und man muß auch dem Eindruck entgegenwirken, daß andere ausgeschlossen werden sollten. Es gibt keine Wahl zwischen Paris und Washington – schon die Andeutung, es müsse gewählt werden, hat dem Elysée-Vertrag seinerzeit viel Wirkung genommen. Heute gibt es nur die Wahl, gemeinsam Subjekt des europäischen Schicksals zu sein oder, uneins, Objekt der Weltpolitik. Niemals in seiner Geschichte hatte der Elysée-Vertrag so viel Zukunft wie heute.

9. Friedloser Frieden

Hätte es nicht vor 70 Jahren den deutsch-russischen Friedensvertrag von Brest-Litowsk gegeben, so wäre die Grenzstadt am Bug vergessen. Und was den durch Versailles in Deutschland erst verdrängten und dann 1922 in Rapallo aufgehobenen Vertrag angeht – welche Lehren sind daraus zu ziehen, welche Einsichten zu gewinnen?

Der Text, den 1917/18 die Oberste Heeresleitung – Hindenburg und Ludendorff – diktierte, verdiente den Namen eines Friedens nicht. Und daß man gut daran tut, im Triumph das Maß zu bewahren, ist Lehre der Geschichte seit Thukydides, nicht erst seit den Agonien des deutschen Kaiserreichs. Wenn Brest-Litowsk denn Lehren enthält für die Welt von heute, so liegen sie mehr auf der sowjetischen Seite des Vertrags als auf der deutschen. Aber bedeutsam sind sie allemal.

Nach der Februarrevolution 1917 hatte Rußland eine neue Regierung, aber keine neue Armee. Die Offensiven des Sommers 1917 sollten das Kriegsglück wenden, die Provisorische Regierung stabilisieren und der Entente beweisen, daß das Rußland der bürgerlichen Revolution so bündnisfähig war wie das der Zaren. Aber alle Angriffe brachen zusammen. Rußland wurde reif für den Umsturz der Bolschewiki. Da ließ die deutsche Oberste Heeresleitung Lenin und die Seinen, mit Geld wohlversehen, aus dem Züricher Exil im plombierten Waggon quer durch Deutschland nach Stockholm reisen. Von dort ging es weiter ins gärende Petersburg. Der russische Bürgerkrieg sollte den deutschen Sieg im Osten bringen, bevor im Westen Amerikas frische Truppen den Krieg entschieden. »Wer wen?« war nicht erst die Frage Lenins.

Auf beiden Seiten eine Doppelstrategie: Bürgerkrieg als Mittel des Staatenkrieges. Deutscher Endsieg durch russische Revolution war die Strategie Ludendorffs; Weltfrieden durch Weltrevolution die Botschaft Lenins im Roten Oktober. Um Rußland der Revolution zu unterwerfen, brauchte Lenin im Westen Stillstand des Krieges, strategische Pause. Dafür würde er auch den bittersten Vertrag mit den Deutschen unterschreiben und ihnen den Sieg der Illusionen gestatten. Seine Logik: Hatte die Revolution in Rußland gesiegt, dann würde sie auch anderswo siegen. Der Weg nach Westeuropa ging für Lenin immer über Berlin – und seine Nachfolger vergessen es nicht.

So wurde in der weißrussischen Stadt verhandelt, qualvolle drei Monate lang, während die alte russische Armee auseinanderlief. Ihre Bauernsoldaten wollten, wo Land verteilt wurde, nicht zu spät kommen. Sie wollten nicht mehr gehorchen. Sie wollten nicht mehr sterben.

Das Deutsche Reich aber sicherte sich im Osten Einflußsphäre, Kornkammer und Sicherheitszone. Rußland hatte auf Polen, die Ukraine, die baltischen Staaten und Finnland zu verzichten. Da wurde in Deutschlands Schlüsselindustrien gestreikt. Hunger und Verweigerung, war das der Anfang vom Ende des Kaiserreichs? Sozialdemokraten und Gewerkschaften wurden überrascht, nicht aber die deutschen Freunde der russischen Kommunisten. Würde die Revolution den Generalen, die in Brest-Litowsk Osteuropa neu verteilten, den Boden unter den Stiefeln wegziehen? Würde Lenin auch in Deutschland siegen? Es wurde weiter verhandelt und weiter diktiert und am 3. März 1918 unterschrieben.

Trotzki und Tschitscherin hatten sich gewundert, was der große Lenin plante, und dann verstanden. Lenin wollte die »Atempause für den Krieg«. Der Vertrag sei Mittel zum »Sammeln der Kräfte«. Der 7. Parteitag der Bolschewiki erklärte den Vertrag für annehmbar mit der Maßgabe, alle Friedensverträge mit bürgerlichen und imperialistischen Staaten seien zu jedem Zeitpunkt zerreißbar.

Lehren für die Welt von heute? Seit einem Jahr werden sie in Moskau formuliert, nicht für die Geschichtsbücher, sondern für Substanz und Form der friedlichen Koexistenz in der Ära Gorbatschow. Ein Theaterstück dramatisierte die Auseinandersetzung des Februar 1918: Lenin für die Atempause, Bucharin für den revolutionären Kampf. Dann rückte die »Neue Zeit«, das Presseorgan des Moskauer Außenministeriums, Brest 1918 und Rapallo 1922 unter die Vorbilder des »Neuen Denkens«. Darin liege die schöpferische Fortsetzung der Strategie Lenins: Unter der Friedenslosung habe die Partei den Sturmangriff auf den Kapitalismus eröffnet. Lenin insistierte damals zwar, Sowjetsystem und internationales Kapital seien Feinde, ihr friedliches Nebeneinander unmöglich. Die »Neue Zeit« aber läßt wissen, es sei der Begriff der friedlichen Koexistenz entwickelt worden.

Endlich hat jüngst Gorbatschow selbst in der Rede über 70 Jahre Revolution den Vertrag von 1918 gerechtfertigt, zusammen mit der Neuen Ökonomischen Politik und dem Hitler-Stalin-Pakt: Lenin habe durch die »politische und moralische Großtat des Brester Friedens« das sozialistische Vaterland gerettet. »Die Frage stellte sich denkbar einfach und unerbittlich: Es ging um das Sein oder Nichtsein des Sozialismus.« Das Wichtigste in der Lehre des Marxismus sei die »revolutionäre Dialektik«.

Ist die Botschaft für den Westen bestimmt oder für den Osten? Im friedlosen Frieden von Brest-Litowsk liegt ein Kommentar, historisch verschlüsselt, über friedliche Koexistenz und die Zukunft des Ost-West-Konflikts. Revolutionäre Dialektik? Der Westen sollte wissen wollen, woran er ist: Ende oder Pause?

II. Was wiegt Geschichte?

10. Wem wird die deutsche Geschichte gehören?

Im Herbst 1986 fand in der Villa Hügel bei Essen eine glanzvolle und vielbesuchte Ausstellung statt: »Barock in Dresden«. Die Ankündigung gab ein Jahr zuvor Anlaß zu der Frage, wie wir es mit der deutschen Geschichte halten.

Der Glanz, der einmal Dresden war – im Spätsommer nächsten Jahres wird, so wurde mit der Kulturstiftung Ruhr vereinbart, in der Villa Hügel eine große Ausstellung der staatlichen Museen der DDR stattfinden: »Barock in Dresden – Eine europäische Metropole im 18. Jahrhundert«.

Ein kulturelles Ereignis hohen Ranges wird dies sein und nicht ohne politische Bedeutung. Es wird nicht allein an den höfischen Absolutismus der sächsischen Kurfürsten erinnern und an ihre Hofwerkstätten. Es wird auch zu der Frage anregen, wie wir es mit der deutschen Geschichte halten. Dazu wird sichtbar werden, mit wieviel Energie die DDR – das hat ihr Staatsratsvorsitzender unlängst im österreichischen Fernsehen wohlbedacht formuliert – Hüter der deutschen Geschichte und Kultur sein will und daraus nicht erst morgen politische Folgerungen zieht.

Politische Freiheit, Prosperität und soziale Sicherheit zu sichern ist die große Leistung der Bundesrepublik Deutschland; die Bestimmung der Symbole in die Hand zu nehmen, die Begriffe der Geschichte zu formen und die kulturelle Piemont-Rolle zu spielen die Anstrengung der DDR. Für heute betrachtet die DDR amtlich die Deutsche Frage seit der Kapitulation der Wehrmacht, noch mehr seit dem Bau der Mauer, vollends seit dem Grundlagenvertrag als abgeschlossen: Was morgen und in ferner Zukunft daraus wird, das sei, so wird an der Spitze offen gesagt, eine ganz andere Sache.

Walter Ulbricht deklamierte 1947 sein »Vorwärts zum sozialistischen Deutschland!« und ließ solches in die erste und noch die zweite Verfassung der DDR (1968) setzen. Erich Honecker spricht eher konditional: »Wenn der Sozialismus an die Tür der Bundesrepublik pocht...« Für ihn bleibt die nationale Frage zuletzt die Frage des sozialistischen Deutschland vom Rhein bis zur Oder: Das Ziel ist gewiß, das Datum offen. Zur sozialen Bestimmung der deutschen Frage tritt seit einem Jahrzehnt deren kulturelle und geistige Formierung.

Die DDR-Verfassung von 1974 tilgte zwar, um abzugrenzen, alle Erinnerung an Deutschland. Die Korrektur aber folgte als amtliche Sprachregelung: Staat DDR, Nation deutsch. 1976 wurde in der DDR – und das konnte nicht geschehen ohne Genehmigung von oben – der Film »Die Deutschen« gedreht. Bis heute wird er nicht gezeigt, vielleicht weil er die überraschende Frage stellte, ob es ein Glück sei, Deutscher zu sein. Der 120-Minuten-Streifen endet mit der Aufgabe, Deutschland sozialistisch zu machen. In der Geschichte liegt der Anspruch auf die Zukunft.

Seit 1979 wird amtlich von der dialektischen Einheit der deutschen Geschichte gesprochen und demgemäß gehandelt. Das klingt für westliche Ohren theoretisch, für östliche praktisch. Es bedeutet, daß die DDR nicht allein progressive Episoden besitzen will, sondern sich die Gesamtheit der Geschichte aneignet: Friedrich der Große, Luther, Bismarck und noch viel mehr. Die geschichtlichen Symbole sollen der SED nach Osten, wie zuvor schon Polen und Ungarn, kulturelle Autonomie gewinnen helfen; nach innen Legitimität schaffen; nach Westen dokumentieren, auf welchem Boden das historische mit dem besseren Deutschland zusammenfällt. Die Grenze dieser geistigen Besitzergreifung, die an der SED-Spitze nicht unumstritten blieb, liegt bisher im Jahr 1917. Diesseits gilt Sowjet- und KPD-Orthodoxie, und gemischte Gefühle enden in Bautzen.

»The Splendour of Dresden« hieß die Ausstellung, die 1979 in Washington, New York und San Francisco gezeigt wurde: Dresdens augusteisches Zeitalter. Im Katalogvorwort fand sich eine hintersinnige symbolische Geographie: Ziehe man zwei Linien auf der europäischen Karte, »eine von Norden nach Süden, von Kopenhagen nach Rom, die andere von West nach Ost, von Paris nach Warschau«, so schnitten sie sich dort, wo heute DDR ist.

Im Sommer 1984 folgte auf der Schallaburg im neutralen Österreich die zweite, nicht minder glanzvolle Ausstellung: »Barock und Klassik. Kunstzentren des 18. Jahrhunderts in der Deutschen Demokratischen Republik«. Ein sachbezogener Katalog, eine leuchtende Darbietung und im Vorwort die Erinnerung, daß von dort, wo heute DDR ist, schon einmal Gedanken und Entwicklungen ausgingen, die »das geistige Leben unseres Kontinents mitbestimmen«. Wer wollte daran zweifeln? Das Land zwischen Rügen und Thüringer Wald gehörte und gehört kulturell zur Mitte Europas. Was aber für die Zukunft daraus folgt, bleibt umstritten.

Im nächsten Jahr werden im alten Haus der Krupps, um aus der DDR-Sprache ein Wort zu borgen, die Krauses ihr Bestes ausstellen. Dafür werden sie sich des Glanzes bedienen, der einmal Dresden war. Die Ausstellung wird hohe Maßstäbe setzen. Die Absolutheit der Hofkunst wird sie ebenso darstellen wie den Anspruch der DDR, Hüter der deutschen Kultur und Geschichte zu sein. In einem Wort, »Barock in Dresden« wird an Vergangenes heilsam erinnern und an Zukünftiges nützlich mahnen.

Warum aber nimmt die SED Geschichte so ernst? Weil, wer den politisch-sozialen Begriffen Inhalt und Farbe gibt, Identität stiftet. Ob dies der leninistischen Parteidiktatur überlassen bleibt, ob dies die freiheitliche Demokratie leistet – das ist nicht eine Frage akademischen Interesses, sondern Wegweiser unserer geistigen Zukunft.

11. Wie vergangen ist Locarno?

Aus historischem Anlaß – 60 Jahre nach Abschluß des Locarno-Vertrags – eine Betrachtung über Zwangsläufigkeit und Offenheit der Entwicklung von 1871 bis 1933/45.

Locarno: der Name erinnert an die vergebliche Bemühung, den europäischen Bürgerkrieg anzuhalten, der 1914 begonnen hatte und erst 1945 enden sollte.

Am 16. Oktober 1925 wurde dort eine Abfolge von Verträgen paraphiert, die der Deutschen Frage eine neue, hoffnungsvolle Wendung gaben. Stresemann unterschrieb für das Deutsche Reich, Briand für Frankreich, Austen Chamberlain für Großbritannien, Mussolini für Italien und Vandervelde für Belgien. Polens Skrzyński und der Tscheche Beneš bekamen, weil Berlin auf friedliche Revision der Ostgrenzen nicht verzichten wollte und weil England weitergehende Garantien scheute, nicht das erhoffte Ost-Locarno. Es blieb bei Schiedsverträgen.

Auch die Unterschriften waren bemerkenswert, die fehlten: die der Vereinigten Staaten und der Sowjetunion. Locarno war Versuch und Anfang einer europäischen Friedensordnung der Nationalstaaten. Die aber fiel in der Weltwirtschaftskrise seit 1929 in Agonie und starb im folgenden Jahrzehnt.

Das Kriegsende hatte Europa geteilt in Mächte, die die Ordnung von 1919 unter allen Umständen aufrechterhalten, und solche, die sie umstürzen wollten. Der militärische Rückzug der Amerikaner nahm der Sicherheitspolitik Frankreichs die Abstützung; mit der Ruhrbesetzung 1923 stieß Paris an die Grenzen französischer Macht. Briten und Amerikaner zogen unterdessen aus Existenz und Festigung der Sowjetunion den Schluß, daß der Westen nur mit den Deutschen zu sichern war und nicht gegen sie.

In Locarno wollte man das System der Pariser Friedenskonferenz – mit dem Mittelpunkt des Vertrages von Versailles – zugleich stabilisieren und überwinden. Die deutsche Grenze zu Frankreich und Belgien sollte nicht mehr Sprengkraft sein, sondern Stabilitätsfaktor. Das Deutsche Reich wurde wieder Großmacht: Der Ratssitz im Völkerbund dokumentierte die veränderte Lage.

Ob der deutsch-sowjetische Rapallo-Vertrag 1922 den Weg nach Locarno geebnet hat, wird immer umstritten bleiben. Umstritten wie der Berliner Vertrag, der 1926 die Rapallo-Abmachung fortschrieb und das Reich gegenüber Rußland rückversicherte. War dies Schaukelpolitik? Oder war es die Sicherheitspolitik eines weitgehend demilitarisierten Landes in der Mitte Europas?

Rapallo wurde, als die Bundesrepublik entstand, den einen Traum und den anderen Trauma. Realistisch war es nie, an Wiederkehr der Vergangenheit zu glauben. Die Sowjetunion war Supermacht geworden, die deutsche Großmacht ein Schatten der Vergangenheit. Existenzbedingung der Bundesrepublik Deutschland wurde es, daß sie das freiheitliche Haus der Deutschen ist und Mittelstück im europäisch-atlantischen Sicherheitssystem: Beides bedingt einander.

Wie vergangen ist Locarno? Souveränität und System der europäischen Großmächte sind dahin, und niemand kann die Weltkriege ungeschehen machen. Deutschland ist amputiert und kann, solange es geteilt bleibt, nicht Mittelpunkt des europäischen Systems sein, wie zuletzt noch einmal im Vertrag von Locarno. In diesem Sinne bleibt mit der Teilung Deutschlands die Teilung Europas untrennbar verbunden.

Die Sowjetmacht schob sich so nahe an Westeuropa heran, daß das Land zwischen Elbe und Rhein für das atlantische Sicherheitssystem den Unterschied bedeutet zwischen einem Brückenkopf und einem Uferstreifen. Amerika, das damals Locarno förderte, ist heute Garantiemacht des freien Teils der Alten Welt.

Nach Locarno führt, man mag es bedauern, kein Weg zurück: nicht zu den Illusionen und nicht zu den Hoffnungen, die mit den Verträgen verbunden waren. Am 1. Dezember 1926 wurden sie in London unterzeichnet – nicht ohne daß zuvor in Berlin der »Bürgerblock« gescheitert, ein Reichskabinett gestürzt war und die Reichswehr-Spitze darauf bestanden hatte, den Draht nach Rußland zu reparieren.

Aber es gibt noch eine andere Lehre aus Locarno, und sie gehört in den Bereich des nationalen Selbstbewußtseins und der geschichtlichen Identität. Es war die deutsche Außenpolitik, die, auf Industrie, Handel und Gewerkschaften, Liberalismus und Kirchen sich stützend, den Teufelskreis des Hasses durchbrach. Wer selbstquälerisch den Anfang vom Ende des deutschen Nationalstaats 1871 oder 1914 sucht, der muß sich erst noch mit Locarno auseinandersetzen. Die Wahrheit der Geschichte liegt nicht allein in den Triumphen und den Katastrophen, die Gestalt annahmen, sondern auch in der Anstrengung der Vernunft, die scheiterte. Locarno war im Ablauf des Dreißigjährigen Krieges unseres Jahrhunderts nur ein retardierendes Moment. Aber Locarno gab, wo immer die europäischen Widerstandsbewegungen einschließlich der deutschen nach Orientierung suchten, einen Richtpunkt.

Locarno blieb eine historische Parenthese. Aber die Vertragsdiplomatie verdeutlicht bis heute, was Raymond Aron meinte, der europäische »maître à penser«, als er schrieb: »Wenn man die beiden Kriege als Elemente eines einzigen und gleichartigen Zusammenhangs begreift, dann wird man nicht alles allein auf das ›ewige Deutschland‹ schieben können, sondern auf die tragische Verkettung von Ursachen und Wirkungen, die Dynamik der Gewalt. Alle einfachen Theorien, die Deutschland oder den Kapitalismus zur Hauptursache erklären, sind naiv. Sie sind historisch den Mythen vergleichbar, die zu einer Zeit, da die Menschen unfähig waren, die Mechanik der natürlichen Kräfte zu begreifen, die Naturwissenschaften ersetzten...«

12. Kein Weg nach Rapallo

Aus ähnlichem Anlaß – 60 Jahre Berliner Vertrag mit der Sowjet-union – die Frage nach Bruch und Kontinuität im deutsch-russi-schen Verhältnis.

Rapallo, das Seebad an der Riviera, ist Symbol eines europäi-schen Alptraums, einer sowjetischen Versuchung und einer deutschen Illusion. Der deutsch-sowjetische Rapallo-Vertrag bedeutete 1922 die Rebellion der Besiegten gegen die Ordnung der Pariser Friedenskonferenz von 1919 und war ein Vorbehalt gegen die polnische Republik. Reichswehr und Rote Armee hatten gemeinsam dem Vortrag vorgearbeitet. Die Deutschen hatten Angst, das rote Rußland werde doch noch die Sieger-rolle spielen, die dem weißen Rußland in Versailles zugedacht war. Die Sowjets fürchteten, die Intervention Englands und Frankreichs von 1919 könne sich wiederholen.

Der Rapallo-Schock mahnte den Westen daran, daß ein deutsch-russisches Bündnis die Nachkriegsordnung aus den Angeln heben könnte, und beförderte den Wandel von franzö-sischer Revanche- zu amerikanisch-britischer Stabilisierungs-politik. 1924 folgte der Dawes-Plan zur wirtschaftlichen Wie-dergesundung Deutschlands, 1925 der Locarno-Pakt, der das Reich wieder als Großmacht etablierte und zum Völkerbund zuließ.

Der Kreml befürchtete, der Locarno-Vertrag bedeute die Bindung Deutschlands an den Westen. Die Sowjets wollten mi-litärischen Sanktionen des Völkerbunds vorbeugen. Daher drängten sie, in Berlin unterstützt von Generalität und Diplo-matie, auf ein Rückversicherungssystem: Es fand sich im Berli-ner Vertrag, dessen Abschluß am 24. April 1926 heute, sechzig Jahre danach, zu Gedanken über Kontinuität und Wandel der deutsch-russischen Beziehungen einlädt.

Die Sowjetunion hielt sich durch den Vertrag die Tür nach Zentraleuropa offen, und die Deutschen sicherten sich einen Spielraum nach Osten. Konrad Adenauer hat damals das Unsi-chere und Schwankende an der Außenpolitik Gustav Stresemanns kritisiert. Aber die Wirklichkeit stellte alle Ängste von ehedem in den Schatten, als im August 1939 Hitler und Stalin den Nichtangriffspakt abschlossen, der den Krieg entfesselte.

Der europäische Alptraum überlebte den Zweiten Weltkrieg und die Katastrophe des Reiches. Stalin nutzte ihn, als er 1952 in die dramatische Auseinandersetzung um die militärische und wirtschaftliche Westintegration der Bundesrepublik Deutschland eingriff und gesamtdeutsche Neutralität anbot. Der Diktator wollte den Deutschen nicht das Geschenk der Einheit in Freiheit machen, das noch heute mancher in der Notenfolge an die Westalliierten von 1952 zu sehen vermeint. Stalin zielte auf das Kernstück amerikanischer Sicherheitspolitik in Europa und für Europa.

Es ging um die Integration der Deutschen in das Gesellschafts- und Verteidigungssystem des Westens, die damals in ihren Anfängen stand. Im Einvernehmen der großen Bundestagsparteien insistierte die deutsche Seite nicht auf Verhandlungen, und dies mit gutem Grund. Denn kein Gut war damals knapper für die Deutschen als Vertrauen, Berechenbarkeit und Verhandlungsgewicht. Nichts davon war im Osten zu gewinnen, und alles war im Westen zu verlieren. Adenauers Kaltblütigkeit und die Standfestigkeit von Regierung und sozialdemokratischer Opposition bannten den europäischen Alptraum.

Wer heute verlorene Chancen bejammert, muß sich fragen lassen, wie Einheit und Freiheit in der Pax Sovietica ausgesehen hätten, wie die europäische Integration und wie die deutsche Sicherheit. So westlich und pragmatisch indessen die Ost- und die Deutschland-Politik zwanzig Jahre danach vollzogen wurde, es blieb im Westen ein Rest von Mißtrauen. Wer genauer hinhörte, erfuhr von Vorbehalten. Und der Name solcher Vorbehalte war Rapallo.

Die sowjetische Versuchung, die deutsche Karte zu spielen, hatte in der ersten Nachkriegszeit die Form des Spiels mit der Einheitshoffnung der Deutschen und der Furcht der Europäer davor. Wer heute prophezeit, die Sowjetunion werde in Zukunft noch einmal diese Karte spielen, unterliegt einem doppelten Irrtum. Zum einen: Ein Einheitsangebot an die Deutschen, wie aufwühlend auch die Wirkung möglicherweise im

Westen wäre, würde die SED-Herrschaft über Nacht delegitimieren und die Einordnung Polens in das Sowjetimperium in Frage stellen. Zum anderen: Die deutsche Karte wurde längst gespielt, indem die Sowjetunion die Ängste und die Illusionen der Deutschen gegen den NATO-Doppelbeschluß mobilisierte und indem sie heute die große Friedenssehnsucht gegen SDI zu wenden sucht. Was aber die deutschen Illusionen anlangt, so könnten sie heute folgenreicher sein als zu den Zeiten Heinemanns oder Ollenhauers, als der deutsche Spielraum noch eng begrenzt war. Es gibt im Lande eine Illusion des Friedens, die vorgreifende Kapitulationen umfaßt. Es gibt eine Hoffnung auf Einheit, die den Gegensatz von Demokratie und Diktatur vergessen hat oder nicht wichtig findet. Und es gibt die Täuschung, die Deutschland- und die Ostpolitik könne, statt Ergebnis der Bündnispolitik zu sein, Gegengewicht und Alternative werden.

Vieles hat sich verändert seit dem Berliner Vertrag von 1926, aber nicht alles. Die Sowjetunion wurde nukleare Weltmacht, vom Deutschen Reich überlebte nur ein Schatten. Aber es blieben die alte Gewißheit im Kreml und die neue Erfahrung im Westen, daß der Schlüssel zur Zukunft des Kontinents in Europas Mitte zu finden ist. Die Deutschen müssen sich daran erinnern, daß die Bundesrepublik als Schlußstein entstand: Sie wird vom Bündnis gehalten, aber sie hält es auch. Die Nation in der Mitte Europas wird aus der Geographie sowenig entlassen wie aus der Geschichte.

13. Geschichte in geschichtslosem Land

Das geschichtslose Land – eine unfreundliche Utopie und die Warnung davor.

In einem Land ohne Erinnerung ist alles möglich. Die Meinungsforschung warnt, daß unter allen Industrieländern die Bundesrepublik Deutschland die größte Schwerhörigkeit verzeichne zwischen den Generationen, das geringste Selbstbewußtsein der Menschen, den gründlichsten Wertewandel zwischen ihnen. Wie werden die Deutschen morgen ihr Land, den Westen, sich selbst sehen? Es bleibt anzunehmen, daß die Kontinuität überwiegt. Aber sicher ist es nicht.

Landauf, landab registriert man die Wiederentdeckung der Geschichte und findet sie lobenswert. Museen sind in Blüte, Trödelmärkte leben von der Nostalgie nach alten Zeiten. Historische Ausstellungen haben über mangelnden Zuspruch nicht zu klagen, und geschichtliche Literatur, vor zwanzig Jahren peripher, wird wieder geschrieben und gelesen.

Es gibt zwei Deutungen dieser Suche nach der verlorenen Zeit. Die einen sehen darin Erneuerung des historischen Bewußtseins, Rückkehr in die kulturelle Überlieferung, Versprechen der Normalität. Die anderen erinnern daran, daß der Blick, der in der Zukunft keinen Halt findet, in der Vergangenheit Richtung sucht und Vergewisserung, wohin die Reise geht. Beides bestimmt die neue Suche nach der alten Geschichte: Orientierungsverlust und Identitätssuche sind Geschwister. Wer aber meint, daß alles dies auf Politik und Zukunft keine Wirkung habe, der ignoriert, daß in geschichtslosem Land die Zukunft gewinnt, wer die Erinnerung füllt, die Begriffe prägt und die Vergangenheit deutet.

Daß die Ungewißheit erst 1945 begann, ist zu bezweifeln. Hitlers Aufstieg kam aus den Krisen und Katastrophen einer säkularisierten, von Aufbruch zu Aufbruch stürzenden Zivilisation, deren Signum Orientierungsverlust und vergebliche Suche nach Sicherheit war. »Es gibt nichts, was nicht fragwürdig wäre«, sagte Karl Jaspers 1931 in einer denkwürdigen Heidelberger Vorlesung. Von 1914 bis 1945 sind die Deutschen den Katarakten der Modernität ausgesetzt gewesen in einem Maße, das alle Überlieferung zerschlug, das Undenkbare denkbar machte und die Barbarei zur Staatsform. Deshalb konnte Hitler triumphieren, deshalb konnte er Preußen und den Patriotismus, den Staat und die bürgerlichen Tugenden erbeuten und verderben.

Aber schon vor dieser Epoche der Kriege und Bürgerkriege war unsere Geschichte eine Geschichte permanenten Umbruchs. Wer die Abwesenheit von Revolutionen darin beklagt, hat wenig begriffen von der Agrarrevolution, der demographischen Revolution, der industriellen Revolution, der halben Revolution von 1848 und der Revolution von oben, die mit Bismarck triumphierte. Jeder Generation seit 200 Jahren öffnete sich der Horizont der Hoffnungen neu, und fast jeder Generation stürzte er ein. Die deutsche Geschichte hat großen Verschleiß an Verfassungen zu verzeichnen, an Wertorientierung, an Bildern von Vergangenheit und Zukunft.

Lange Zeit war die deutsche Diktatur Anfang und Ende der Geschichtsbetrachtung – und wie hätte es anders sein dürfen? Dann öffneten sich, je mehr die Bundesrepublik sich von ihren Anfängen entfernte, zurückliegende Epochen wieder dem Blick. Seit 1973, als der Ölpreis hochschoß und »Tendenzwende« der Name eines neuen Bewußtseins wurde, entdeckten die Deutschen, daß auch die Bundesrepublik und das Weltsystem, von dem sie Teil ist, geschichtlicher Bewegung unterworfen bleiben. Heute ist die Geschichte des Nachkriegssystems Gegenstand politischer und wissenschaftlicher Studien.

Das aber hat zur Folge, daß die Leistung Konrad Adenauers deutlicher hervortritt, der alles tat, um den deutschen Sonderweg der moralischen und politischen Trennung vom Westen zu überwinden. Aber zur selben Zeit wird die berüchtigte Stalin-Note von 1952, die ebendies durchkreuzen sollte, als Mythos der verpaßten Einheitschance dargestellt und der russische Tyrann als Nikolaus, von dem die Deutschen nur zu wünschen brauchten, was sie wollten: Einheit, Freiheit, Wohlstand und Sicherheit dazu – in Wahrheit aber ging es doch nur um Vorformen von Sowjet-Deutschland. Und unter den Gespenstern der Vergangenheit wird man auch des Antifaschismus wieder gewahr: der Legende vom edlen Wollen der Kommunisten, vom Versagen der deutschen Sozialdemokraten und vom Segen der Volksfront. Daß der Partei Kurt Schumachers unlängst, es war der 40. Jahrestag der deutschen Kapitulation, der Kampf gegen die gesellschaftlichen Grundlagen des Faschismus in der Bundesrepublik von ihren Vordenkern zugewiesen wurde, verrät verborgene Gedanken über die Zukunft.

Wie auch immer: Beim Betrachten der Deutschen vis-à-vis ihrer Geschichte stellt sich unseren Nachbarn die Frage, wohin das alles treibt. Die Bundesrepublik hat weltpolitische und weltwirtschaftliche Verantwortung. Sie ist Mittelstück im europäischen Verteidigungsbogen des atlantischen Systems. Doch es zeigt sich jetzt, daß jede der heute in Deutschland lebenden Generationen unterschiedliche, ja gegensätzliche Bilder von Vergangenheit und Zukunft mit sich trägt. Es erweist sich auch, daß die technokratische Geringschätzung der Geschichte von rechts und ihre progressive Erwürgung von links die politische Kultur des Landes schwer schädigten. Die Suche nach der verlorenen Geschichte ist nicht abstraktes Bildungsstreben: Sie ist moralisch legitim und politisch notwendig. Denn es geht um die innere Kontinuität der deutschen Republik und ihre außenpolitische Berechenbarkeit. In einem Land ohne Erinnerung ist alles möglich.

14. Kälte im August

Die Berlin-Krise 1958–62 und vor allem der Bau der Mauer erweisen sich in der rückschauenden Betrachtung als die größte Zäsur der Nachkriegszeit.

Es war ein schöner Sonntagmorgen am 13. August vor 25 Jahren. Aber was an diesem Tage geschah, kam nicht aus einem heiteren Himmel. Mitten im krisenschwangeren Sommer 1961 zogen Grenztruppen und »Betriebskampfgruppen« der DDR Stacheldraht quer durch Berlin. Das traf den Vier-Mächte-Status der alten Reichshauptstadt. Dann wurde die Mauer gebaut. Zu Ende war die Massenflucht vor Kollektivierung des Landes, Verstaatlichung der Wirtschaft, Gleichschaltung des Denkens und Überwachung des Alltags. Die Mauer – die SED nennt sie »antifaschistischer Schutzwall« – versperrte den Ausweg, der noch immer über die halboffene Sektorengrenze in den Westen geführt hatte.

Die zweite große Berlin-Krise hatte begonnen, als der Sowjetführer Chruschtschow im November 1958 dem Westen ein Ultimatum stellte: Binnen sechs Monaten habe das westliche Berlin »selbständige politische Einheit« zu sein, und die Westmächte müßten abziehen. Sonst werde die Sowjetunion ihre Rechte der DDR übergeben. Jede Verletzung der Grenze der DDR sei ein Angriff auf den Warschauer Pakt. Ulbricht erläuterte: »Ganz Berlin« liege auf dem Gebiet der DDR.

Wasserstoffbombe, Sputnik und Interkontinentalraketen hatten die Sowjetführer in Versuchung geführt, militärische Stärke in Machtgewinn umzusetzen. Chruschtschow sagte, der Sozialismus habe das »Übergewicht in der Weltarena«. Zum neuen Kraftgefühl trat die Angst um das Imperium, das 1953 den Arbeiteraufstand in der DDR, 1956 den Aufstand in Ungarn und die Unruhe in Polen nur durch Panzer hatte bewältigen können. Dazu kam, daß die SED-Herrschaft, indem sie das Land sowjetisierte, einer Sanduhr glich, die auszulaufen schien.

Was wollten die Sowjets? Nicht nur Anerkennung der DDR und, nach einer Schonfrist, Kassierung der Westsektoren. Dahinter stand die Strategie, den Alliierten in Berlin den rechtlichen Boden zu entziehen und in Deutschland das Vertrauen und so die europäische Nachkriegsordnung umzustürzen. Dafür setzte beim Gipfel in Wien 1961 der Sowjetführer den amerikanischen Präsidenten unter Druck – Kennedy: »Es kommt ein kalter Winter« –, drohte Westeuropa mit Atomwaffen und demonstrierte in der DDR militärische Macht und den Willen, sie einzusetzen.

Die Vereinigten Staaten reagierten – NATO-Truppen in Westeuropa waren in der Minderzahl, Nuklearwaffen Ultima ratio – durch Verstärkungen, Erhöhung des Militärhaushalts, Vorbereitung einer neuen Luftbrücke und Signale für beides: Verhandlung und Festigkeit. Was dann am 13. August geschah, so bitter es für die Deutschen bleibt, war weltpolitisch ein Unentschieden. Die Mauer wurde gebaut, und die drei »Essentials« des Westens blieben: die alliierte Schutzmachtrolle in Berlin, der unbehinderte Zugang, die Lebensfähigkeit der Teilstadt.

Hätten die Westmächte dem Unternehmen – die DDR-Grenztruppen waren anfangs ohne scharfe Munition – militärisch entgegentreten sollen? Wer das bejaht, hat die Sprengkraft der Lage vergessen. Die Sperren wären einige Meter rückwärts doch entstanden. Die Sowjetunion trat an den Abgrund, und die Vereinigten Staaten traten ihr entgegen. Beide aber scheuten den Sprung ins Dunkle. Erst in der kubanischen Raketenkrise ein Jahr später fand das Drama, das um Berlin begonnen hatte, Höhepunkt und Abschluß.

Für die Sowjets war der Mauerbau beides, Ausdruck äußerer Stärke und innerer Schwäche. Bis heute erinnert das monströse Bauwerk die SED an ihren Legitimitätsmangel und an den Willen der Menschen, anders zu leben. Die Mauer gehört zu den deutschen Kommunisten wie der Offenbarungseid zum Bankrotteur. Doch zwang die Mauer auf längere Sicht die SED, mit der Bevölkerung einen Modus vivendi zu finden, Nischen der Privatheit zu gestatten, die Sklerose der Parteidoktrin hinzunehmen und Stabilität mehr durch Wohlstand zu erkaufen als durch Schrecken zu erzwingen. Was der SED-Staat an Handlungsfähigkeit nach Osten gewann, verdankt er der Mauer, die ihn nach Westen, solange sie steht, lähmen wird.

Zu den Wirkungen zählt auch, daß aus Furcht und Vernunft ein neuer Modus des bipolaren Nuklearsystems entstand: Entspannung. Dem »heißen Draht« als Mittel des Krisenmanagements zwischen Moskau und Washington folgte der Vertrag gegen Nukleartests in der Atmosphäre. Nukleare Parität erzwang Rüstungskontrolle.

Für die Bundesrepublik Deutschland wurde der Mauerbau zum tiefen Einschnitt. Zuvor hatte man die DDR wegwünschen können. Nun zeigte sich, daß das Sowjetimperium nicht aus Mitteleuropa wich. Die DDR war da, um zu bleiben. Für das Ziel der Wiedervereinigung gab es keinen Termin. Die weltpolitische Entspannung erzwang, was seit dem späten Adenauer Ziel deutscher Politik war: nach Osten einen Modus vivendi, schon um Berlins willen. Das Berliner Vier-Mächte-Abkommen hat 1971 den globalen Mächtekonflikt um die Stadt rechtlich eingehegt. Zugleich wurde die Tür geöffnet zum Grundlagenvertrag mit der DDR.

Das weltpolitische Kräftemessen in Berlin und um Berlin vor 25 Jahren enthält die Lektion, daß alle Ost- und Deutschlandpolitik von Bonn aus nur so weit trägt, wie sie im atlantischen und europäischen Bündnisgefüge verankert bleibt und Verständnis findet. Jenseits davon würde ein Weg beginnen, der mit der Existenz der Bundesrepublik auch die Freiheit Westeuropas und die Hoffnung derer aufs Spiel setzt, die bis heute, und wahrscheinlich noch auf lange Zeit, im Schatten der Mauer leben müssen.

15. Was Geschichte wiegt

Mit dem Vortrag von Professor Dr. Jürgen Habermas auf einem den Museumsplänen in Bonn und Berlin gewidmeten Hearing der SPD-Fraktion des Deutschen Bundestages am 2. Juli 1986 und der nachfolgenden Publikation in der Wochenzeitung »DIE ZEIT« wurde eine Debatte in Gang gesetzt, deren Bezeichnung »Historikerstreit« Motive und Methoden eher versteckt als enthüllt.

»Liebt ihr die Demokratie? Und wollt ihr euch verteidigen?« Als André Glucksmann in der Raketenkrise 1983 dies die deutsche Linke fragte, ersetzte Entrüstung die Antwort. Zu den »incertitudes allemandes« der Franzosen zählt der Zweifel, welches Bild die Deutschen von sich, ihrer Zukunft und ihrer Geschichte haben. Man war erleichtert nach 1945, daß die Besiegten mit Zorn und Abscheu zurückblickten. Bedingung der Versöhnung war es, daß Grundgesetz und Bündnisintegration in den Westen neue Auf- und Umbrüche verhinderten.

Indessen fragte der einflußreiche Publizist Pierre Hassner vor einigen Jahren: »Ist die Deutsche Frage wieder da?« Er gab der Ungewißheit Ausdruck, was aus dem deutschen Sicherheitskonsens werde. Seitdem zieht sich durch das französische Engagement in Deutschland und für Deutschland der Appell, Mut zu haben zur Demokratie, sich der Geschichte zu stellen und die Folgerungen des Grundgesetzes und der Westpolitik als Bedingung der Zukunft zu bestätigen. Von de Gaulles Vision eines Europa der Vaterländer, das ohne Deutschland nicht sein kann, bis zur Feststellung des früheren Staatssekretärs am Quai d'Orsay, Jean-Marie Soutou, Europa brauche das verantwortungsvolle und verständliche Nationalbewußtsein der Deutschen, steht hinter dem französischen Engagement die Erkenntnis, des deutschen Partners bedürftig zu sein, ohne ihn doch, sollte er es sich anders überlegen, festhalten zu können. Die Mehrheiten für das Bündnis beruhigen. Der Dissens über seine Grundlagen schafft Beunruhigung.

Der Industrielle Alain Minc veröffentlichte Anfang 1986 ein Erfolgsbuch: »Le Syndrome Finlandais«. Es enthält ein Szenario, in dem eine schwankende Bundesrepublik Westeuropa mit sich zieht in die irreversible Schieflage nach Osten. Die Sorge bleibt, die Deutschen könnten im Zeichen des Öko-Pazifismus die Kluft zwischen Demokratie und Diktatur vergessen und in »Mitteleuropa« Vergangenheit und Zukunft suchen. Alfred Grosser nach dem Nürnberger Parteitag der SPD: Es gelte, »gegen Verniedlichungen anzugehen, welche das Sowjetsystem betreffen«.

Hinter solcher Sorge verbergen sich kulturelle Dissonanzen: auf deutscher Seite viel jüngste Geschichte und wenig aufrechter Gang, auf französischer der blau-weiß-rote Konsens über Vergangenheit und Zukunft, selbstbewußter Patriotismus und die Gelassenheit der Latinität.

Wäre hierzulande ein Buch denkbar wie »Die Identität Frankreichs – Raum und Geschichte« von Fernand Braudel (1986)? Der Mitbegründer der Denkschule um die Zeitschrift »Annales« schrieb einst in deutscher Kriegsgefangenschaft das große Werk über die mittelmeerische Welt im Zeitalter Philipps II. von Spanien. Braudel im Vorwort seines letzten Buches: Er liebe Frankreich mit Leidenschaft, ohne zu unterscheiden zwischen Tugend und Laster, »zwischen dem, was mich anzieht, und dem, was mich abstößt«. Dann beschreibt er Land und Menschen und endet mit der Frage: Hat die Geographie Frankreich erfunden?

Die Identität ist für Braudel das Problem im Mittelpunkt: »Die Bestimmung Frankreichs durch sich selbst, das lebendige Ereignis von allem, was die menschliche Vergangenheit Schicht auf Schicht ablagerte... Alles in allem ein Residuum, ein Amalgam, zahlreiche Hinzufügungen und viele Vermischungen. Dazu ein Prozeß, ein Kampf gegen sich selbst, der sich immer fortsetzt.« Warum ist das so schwer ins Deutsche zu übersetzen? Solches Selbstbewußtsein blieb den Deutschen seit dem Untergang des Alten Reiches um 1800 fremd. Selbst der Bismarck-Staat war nicht für lange Zeit die unbezweifelte Form deutschen Daseins. Danach erschien die Reichsgründung manchen als überflüssiger »Jugendstreich« (Max Weber), sofern sie ein Abschluß war und nicht Anfang von weit Größerem. Bülow forderte 1897 den »Platz an der Sonne«, und dabei blieb es nicht.

»Es gibt nichts, was nicht fragwürdig wäre« (Karl Jaspers 1931) – diese Zeitdiagnose stand am Anfang Hitlers und seiner Revolution wider alle Revolutionen. An deren Ende stand das Wort, mit dem der Historiker Ludwig Dehio die deutsche Verzweiflung beschrieb: »Wo wir einen festen Standort suchen, finden wir den Boden wanken, erschüttert bis weit zurück in die Jahrhunderte von derselben Katastrophe, die uns gegenwärtig erschüttert.« Jede überlieferte Deutung der deutschen Geschichte sei zusammengestürzt. Wie war in diesen Trümmern zu leben?

Hat heute aber jene Volksfront- und Antifa-Mythologie wieder Zukunft in Medien und Parteien, der zu widerstehen die Demokraten von 1949, was immer sie sonst trennte, einig waren? Trägt der antitotalitäre Konsens der Verfassung noch, gegen die nationalsozialistische Vergangenheit gerichtet und gegen die kommunistische Gegenwart, gar gegen eine solche Zukunft?

Versuchungen einer deutschen Selbstzerstörung werden heute wieder sichtbar, die mit der Geschichte beginnt und mit der Verfassung endet. Die Demokraten sollten sich deshalb der Warnung Helmut Schmidts erinnern, kein Volk könne auf die Dauer ohne geschichtliche Identität leben: »Wenn unsere deutsche Geschichte nur noch bewertet würde als eine einzige Kette von Verbrechen und Versagen und Versäumnissen . . ., kann die Gegenwart unseres Volkes ins Schwanken geraten, und es kann die Zukunft aufs Spiel gesetzt werden.« Es gibt Grund zu fragen, was Geschichte in Deutschland wiegt.

16. Ein Bündnis fast durch Zufall

Die 40. Wiederkehr der Verkündung der Truman-Doktrin für das östliche Mittelmeer gab Anlaß, auf zwei Tatsachen zu verweisen: daß Deutschland nicht der einzige Punkt des Ost-West-Konflikts in Europa ist und daß im amerikanisch-sowjetischen Machtkampf das Erbe älterer Epochen nachwirkt.

Das Weltsystem, in dem wir leben, entstand nicht aus einem Meisterplan, sondern so, wie Benjamin Disraeli vor einem Jahrhundert die Entstehung des British Empire beschrieb: »Fast durch Zufall« sei man hineingestolpert. Nirgendwo wird dies deutlicher als in der »Truman-Doktrin« vom 12. März 1947, deren Entstehung aus dem Zerfall der Kriegskoalition Folgen bis heute hat.

Seit dem späten Mittelalter beherrschten die Osmanen das östliche Mittelmeer. Erst im Verlauf der Französischen Revolution, als General Bonaparte 1798 zu den Pyramiden vorstieß und die Royal Navy die französische Flotte bei Abukir versenkte – was den Ruhm des späteren Napoleon nicht beschädigte und England die Macht über das Salzwasser versprach –, rückte das Seegebiet östlich von Kreta erstmals seit den Kreuzzügen wieder in das strategische Vorfeld der europäischen Großmächte. Napoleon, unterwegs nach Ägypten, träumte – wie nach ihm Rommel – vom Zug Alexanders ins Zweistromland und weiter. Die Briten begannen, um Indien zu fürchten, erinnerten sich der alten Kanalverbindung vom Mittelmeer zum Indischen Ozean und blickten auf Ägypten.

Seitdem ging die Richtung britischen Goldes und britischer Schiffsgeschütze zuerst gegen die Osmanen, denen Griechenland und Ägypten abgenommen wurden unter dem Motto der Freiheit und der Zivilisation. Dann ging es im Krim-Krieg direkt und danach indirekt gegen das Rußland der Zaren. Der »kranke Mann am Bosporus« fand in England eine Schutzmacht gegen Rußland. Und an der Jahrhundertwende, als das Deutsche Reich die Bagdad-Bahn baute, hatten die Türken unversehens zwei Beschützer.

Ägypten wurde 1882 britisches Protektorat, in halbkolonialer Form Verschluß der britischen Perlenkette von Gibraltar über Malta, Zypern und Suez nach Aden, Singapur und Hongkong. Im Ringen um das östliche Mittelmeer war die Seemacht England der Landmacht Deutschland und der Landmacht Rußland überlegen: Das erwies sich 1918/19, als die türkisch-deutsche Stellung in Nahost zusammenbrach. Es erreichte seine Grenze, als die Briten in Odessa landeten, um der Revolution in Rußland entgegenzutreten.

1944/45 waren es Sowjettruppen, die im Iran standen, auf die Türkei drückten, donauaufwärts marschierten und in Griechenland Partisanen unterhielten. Würde sich der Traum Katharinas der Großen vollenden, daß der Herr Rußlands auch Herr des östlichen Mittelmeers würde? Oder würde die Strategie Disraelis sich durchsetzen, die Rußland eingedämmt hatte zu Wasser und zu Lande?

1945 zählten die Briten zu den Siegern. Aber es reichte nur, die alte Perlenkette noch eine Weile zusammenzuhalten. Ihren nördlichen Flankenschutz mußten andere übernehmen: Wer anders als Amerikas Flotte? So standen die Vereinigten Staaten nicht nur vor den Trümmern der Kriegsallianz. In Nahost hatten sie die Wahl, die im Krieg erneuerte Rolle der Briten zu übernehmen oder aber zuzuschauen, wie Rußland die Osmanen im 20. Jahrhundert beerbte.

In dieser Lage zeigten die Amerikaner Flagge, indem sie das Schlachtschiff »Missouri« – Schauplatz der japanischen Kapitulation –, dann einen Flugzeugträger schickten und 1946 endlich einen Flottenverband für dauernd stationierten. 1947 folgte die Botschaft Präsident Trumans an beide Häuser des Kongresses: Es gehe um die nationale Sicherheit der Vereinigten Staaten. Griechenland drohe durch »terroristische Aktivitäten« – das bezog sich auf die Kommunisten – das Chaos. Die nationale Integrität der Türkei sei in Gefahr – das bezog sich auf sowjetische Versuche, an den Meerengen Fuß zu fassen – und damit die Stabilität des Mittleren Ostens. Finanzhilfe in Höhe von 400 Millionen Dollar, militärische Ausrüstung und Militärberater wurden gefordert.

Zur Dominotheorie, nach der die Türkei und Griechenland

Anfang einer globalen Auseinandersetzung seien, kam die An-
klage, die Sowjetunion Stalins verkörpere dasselbe totalitäre
Prinzip, das Amerika im Krieg gegen Japan und Deutschland
bekämpft hatte. Die Totalitarismustheorie, welche die beiden
großen Formen der Tyrannei des 20. Jahrhunderts verband,
war in den dreißiger Jahren entstanden. 1947 wurde sie zur moralischen Abstützung der Pax Americana für Europa.

Der Truman-Doktrin folgte im Frühsommer 1948 die sowjetische Blockade West-Berlins in einer Art horizontaler Eskalation. Erst angesichts dieser Konfrontation am Rande des
Krieges gewann die »Eindämmung«, die konzeptionell die Truman-Doktrin prägte, im Nordatlantikpakt 1949 militärische
Form und politische Konsistenz.

Fast durch Zufall fanden sich die Amerikaner in einer strategischen Rolle, die sie niemals gesucht hatten: der des British
Empire im östlichen Mittelmeer. Hier sind sie – die Existenz
des Staates Israel bleibt wie die Stabilität Ägyptens von amerikanischer Machtprojektion abhängig – heute mehr als je zuvor
gebunden. Die Karten der Welt sind neu gezeichnet, die Geographie der Macht wurde davon nicht berührt.

17. Lernen aus der Geschichte?

*Sind die Lektionen der Geschichte verbraucht? Oder werden sie
immer nur umgeschrieben? Wiederholt sich, was einmal große
Tragödie war, Widerstand gegen die totalitäre Diktatur, als Farce
und unter falschem Namen? Instrumentalisierung und Funktio-
nalisierung historischer Erfahrung drohen dort, wo die Geschichte vergessen oder verdrängt wird.*

In Bremen steht ein Denkmal mit Bundeswehrhelm: Dem un-
bekannten Deserteur. Von Mutlangen bis Wackersdorf heißt
Widerstand, was bei nüchterner Betrachtung Tatbestände von
grobem Unfug bis zu klassischem Landfriedensbruch erfüllt.

Antifaschismus kommunistischer Observanz hat politische Konjunktur und macht, im Alleinbesitz der Wahrheit und der Geschichte, Vergangenheit und Gegenwart den Prozeß. Hegel schrieb, alle weltgeschichtlichen Ereignisse und Personen ereigneten sich zweimal. Marx fügte hinzu: »Das eine Mal als große Tragödie, das andere Mal als lumpige Farce.«

Kann man aus der Geschichte lernen? Die deutsche Vergangenheit verzeichnet solche Versuche, darunter die großen Friedensschlüsse der Neuzeit. Der Augsburger Religionsfriede stabilisierte 1555 den Kompromiß von Evangelischen und Katholischen im Zeitalter der Glaubenskriege. Der Dreißigjährige Krieg riß alles wieder auf, und er endete – Deutschland eine Trümmerstätte – mit der Verrechtlichung des Religionskonflikts und der Europäisierung der deutschen Verfassung: »Ewiges Vergeben und Vergessen« gewährte man einander 1648 in der christlichen Einsicht, daß Menschen allzumal Sünder sind und göttlicher Erbarmung bedürfen.

Der Friede von Utrecht 1713 beschloß den Kampf um das Erbe Spaniens in Europa, und England gab dem Kontinent auf zwei Jahrhunderte ein System des Machtgleichgewichts. Als aber das europäische Konzert durch Französische Revolution und Napoleonisches Empire aufgehoben war, wurde es durch Krieg und Diplomatie erneuert. Die Deutschen gerieten indessen seit dem Wiener Kongreß in den Zwiespalt, daß sie, um den anderen Nationen auf dem Weg zum Nationalstaat zu folgen, die alte Rolle des Ausgleichens und Friedensstiftens im Herzen Europas preisgeben mußten. Was später als Sonderweg erschien, war anfangs das Bemühen, es so zu machen wie England und Frankreich.

Im 20. Jahrhundert aber trat ein, was Friedrich Nietzsche prophezeit hatte: Die Kriege um die Weltherrschaft wurden geführt im Namen rivalisierender Weltanschauungen, Kreuzzüge ohne Kreuz und ohne Ende. Auf den dreißigjährigen europäischen Bürgerkrieg, der 1914 begann und 1945 endete, folgte kein Friede mehr. Es waren die nuklearen Waffen, die das bipolare System stabilisierten und den Krieg in Ketten legten.

Und doch haben nach den Katastrophen der ersten Jahrhunderthälfte die Deutschen noch einmal versucht, aus der Ge-

schichte zu lernen: Soziale Partnerschaft sollte die Klassenspal-
tungen der Vergangenheit überwinden; soziale Marktwirtschaft die freiheitliche Demokratie ökonomisch verankern; die
Westbindung das Land sichern gegen Gefahren der Mittellage
und dereinst auch die verlorene Einheit wiederherstellen. Das
Grundgesetz bedeutete doppelte Zurückweisung des Totalitarismus: des braunen der Vergangenheit und des roten der Gegenwart. Den antitotalitären Konsensus formulierte Kurt
Schumacher: Nie wieder Krieg von deutschem Boden, nie wieder Diktatur auf deutschem Boden. Waren die Deutschen im
Westen Musterschüler der Geschichte geworden, belohnt
durch Prosperität, Integrität und Sekurität?

Noch keiner Generation gelang es, die Uhren anzuhalten.
Den Aufbrüchen der vierziger Jahre folgten die Umbrüche der
sechziger. Die Linke entdeckte den Fortschritt wieder und die
Rechte die Faszination der Technokratie, bis beides nach Öl-
schock und »Tendenzwende« 1973/74 in den Leerlauf der Stag-
flation fiel und neue Aufbrüche begannen – und niemand weiß,
wohin.

Sind die Lektionen der Geschichte verbraucht? Das nukleare System der Nachkriegszeit verliert seine Geltung. Die
Pax Americana erreicht ihre Grenzen. Die Tatsache, daß die
Vereinigten Staaten ihre atomare Überlegenheit nicht beibe-
halten konnten, während die Sowjetunion über ein stets wach-
sendes Heer verfügt, scheint – so schrieb Raymond Aron kurz
vor seinem Tode 1983 – ein Grund zu sein »für die moralische
Verwirrung in der Bundesrepublik Deutschland«.

Adenauers Leistung war es, die Deutschen zum Partner des
Westens zu machen; die Leistung seiner Nachfolger, nach
Osten Spielraum zu gewinnen. Wo Deutschland liegt, da ist
noch immer der Dreh- und Angelpunkt des nuklearen und bipolaren Weltsystems. Mit dem antitotalitären Konsens der
Staatsgründung ist unterdessen auch der Rest umstritten: So-
zialpartnerschaft, soziale Marktwirtschaft, Westbindung.

Die totalitäre Versuchung hatte immer zwei Gestalten, und
am Ende von Weimar und bei der Entfesselung des Weltkriegs
trafen sie sich, Hitler und Stalin, zum großen Totentanz der
europäischen Zivilisation. Wird diese Lehre vergessen, so

nimmt eine neue Generation das unveräußerliche Menschenrecht auf die Suche nach dem Unglück wahr.

Marx formulierte 1852 die Einsicht, es laste die Tradition aller toten Geschlechter wie ein Alp auf dem Gehirn der Lebenden: »Und wenn sie eben damit beschäftigt scheinen, sich und die Dinge umzuwälzen, noch nicht Dagewesenes zu schaffen, gerade in solchen Epochen revolutionärer Krise beschwören sie ängstlich die Geister der Vergangenheit zu ihrem Dienste herauf, entlehnen ihnen Namen, Schlachtparole, Kostüme, um in dieser altehrwürdigen Verkleidung und mit dieser erborgten Sprache die neue Weltgeschichtsszene aufzuführen.«

18. Eindämmung und die Deutschen

Ist die Politik der Eindämmung, 40 Jahre nach ihrer Formulierung, verbraucht, überflüssig oder sogar widerlegt? Oder bedarf politische Ost-West-Stabilität beider Elemente: Festigkeit und Offenheit? Ohne gesicherte Verteidigungsfähigkeit des Westens ist reale Entspannung nicht denkbar.

»Was wird zwischen den weißen Schneefeldern Rußlands und den weißen Kreidefelsen von Dover liegen?« Als Englands Kriegspremier Winston Churchill 1945 diese Frage stellte, zwei Monate vor der deutschen Kapitulation, da war Polen schon verloren, und offen war allein, wem der Rest Europas gehören würde und in seiner Mitte Deutschland.

Es gab britische Diplomaten, die sich damals des Wiener Kongresses erinnerten, und Henry Kissinger hat später dargestellt – »A World Restored« –, wie Englands Außenminister Castlereagh und Österreichs Staatskanzler Metternich alles taten, um zuerst mit Rußland Napoleon zu besiegen und dann im Bündnis mit Frankreich gegen Rußland dem Kontinent Frieden und Gleichgewicht zu schaffen. So entstand jener lange Waffenstillstand mit der Geschichte, dessen Grundfigur bis 1914 hielt.

1945 drohte Churchill, wie die Briten 130 Jahre zuvor, wegen Polen an den Rand des Krieges mit Rußland zu gehen. Aber England war erschöpft, Frankreich halb besiegt, Deutschland zerstört: Kein Wiener Kongreß stand in Aussicht, das europäische System war nicht mehr rekonstruierbar aus den Trümmern seiner Geschichte. Würde Amerika das Gegengewicht bilden, das Europa nicht mehr war? Solange Roosevelts Amerika »One World« und Kondominium wollte und den Rückzug plante, schien das Schicksal der Europäer besiegelt. Als Präsident Truman – »Ich bin es leid, die Russen zu hätscheln« – Eindämmung dagegensetzte, eröffnete sich die Chance der Revision.

Im Sommerheft der Zeitschrift »Foreign Affairs« beschrieb vor 40 Jahren »Mr. X« – der Chefplaner des State Department, George F. Kennan, war nicht schwer zu dechiffrieren – jene Politik, die seit 1944 im Entstehen war und auf der bis heute die Architektur des atlantisch-europäischen Systems gründet. Kennan sah im sowjetischen Verhalten drei Viertel altrussische Angst und Aggressivität, ein Viertel leninistische Weltmission. Der Schluß: »Das Hauptelement jeder amerikanischen Politik gegenüber der Sowjetunion muß die langfristige und geduldige, aber feste und wachsame Eindämmung der russischen Ausdehnungsbestrebungen sein.« Kennan wollte Amerika nicht zum Ordnungshüter der Welt machen. Und doch schloß er mit dem Satz, die Amerikaner müßten jene moralische und politische Führung geben, »welche die Geschichte ihnen offenkundig zugedacht hat«.

Eindämmung hatte an der Peripherie begonnen, von Iran bis Griechenland. In der europäischen Mitte aber stellte sich die Frage, ob das ganze Deutschland sowjetisch würde oder das halbe Deutschland Teil des Westens. Damit verbunden waren – und sind – die Existenzform Westeuropas und die Weltmachtrolle Amerikas. Die wirtschaftliche Seite der Antwort wurde der Marshall-Plan, der das hoffnungslose ökonomische Nullsummenspiel der Europäer überwand. Die politische Antwort lag in der Einigung Westeuropas und der Rehabilitation der Deutschen. Die militärische kam zuerst und zuletzt: zuerst in Form nuklearer Machtprojektion und zuletzt, nach Berlin-

Krise und Koreakrieg, in Form amerikanischer Truppenstationierung.

Ist die »Eindämmung« nach vierzig Jahren passé? Die Sowjetunion verspricht Bewegung, aber Ziel und Richtung entziehen sich der Berechnung und weitgehend der Beeinflussung, und daß die Lenin-Renaissance ein Reich des Friedens erschaffe, erfordert einen Akt des Glaubens. Amerika revidiert seine Engagements in Übersee und sucht Sicherheitsabstand von der Sowjetunion – und damit von Europa. Bedarf es in dieser Lage eines anderen »grand dessein«?

Der alte Entwurf war so schlecht nicht, und er ist entwicklungsfähig. Im Nordatlantik-System kann die Westeuropäische Union geistig, technologisch und politisch Element jenes »zweiten Pfeilers« werden, den die Amerikaner zugleich fordern und in Zweifel setzen. Im Rahmen der einheitlichen Europäischen Akte kann man mit der Außenpolitik auch Sicherheitsfragen koordinieren. Die deutsch-französische konventionelle Kooperation zielt ebenso in die bessere Richtung wie die im März vereinbarte britisch-französische nukleare Koordination. Europa braucht, mehr als bisher, Zusammenführung von Forschung, Entwicklung und Beschaffung und, als Triebfeder technologischer Hochleistung und Element atlantischer Rückversicherung, ein Raumfahrtprogramm, komplementär zum amerikanischen.

Churchills Frage ist noch immer aktuell : »What will lie between the white snows of Russia and the white cliffs of Dover?« In Europa hat man sich so sehr an die Wirkungen der Eindämmung gewöhnt, daß deren Bedingungen allzu häufig ignoriert werden. Der Harmel-Bericht, 20 Jahre ist es her, sah in gesicherter Verteidigungsfähigkeit die Grundlage für das Management des Konflikts, der bleiben wird.

Denn die Ursachen bestehen weiter, und die Entspannung verfiel nicht wegen der Stärke des Westens, sondern wegen seiner Schwäche. Ohne Eindämmung der Sowjetunion hätte es nach 1945 ein freies Europa nicht gegeben. Strategische Stabilität bleibt Voraussetzung aller schöpferischen Ost-West-Politik, einschließlich Rüstungskontrolle und Abrüstung. Churchills Frage wurde gestellt, als die Deutschen wenig zählten. Wie die

Antwort aber heute und morgen lautet, ist nicht nur deutsches Interesse, es ist auch deutsche Verantwortung.

19. Versuchung der Mitte

Gedanken zum Rückversicherungsvertrag von 1887

Ende März 1987 waren im Zeichen des Bergedorfer Gesprächskreises einige Deutsche, zuvorkommend empfangen, in Moskau zu Gast. Der Frost, den die Kreml-Herren vor den Bundestagswahlen auf die Beziehungen geworfen hatten, wurde nur in andeutend-bedauernder Form erwähnt. Zuerst sprach Wadim Sagladin, Internationale Abteilung des ZK, immer ein großer Propagandist und heute mächtiger Vertrauter eines noch Mächtigeren. Politische Grundlage der Beziehungen beider Länder, so dozierte er, seien Rapallo-Vertrag und Moskau-Vertrag.

Was war das? Der Moskauer Vertrag von 1970, gewiß, er galt den Sowjets von Anfang an als Äquivalent eines deutschen Friedensvertrags und Anerkennung ihrer Eroberungen, und mehr war vorerst nicht zu haben. Aber Rapallo? Das war 1922 die gemeinsame Verwahrung der Besiegten des Ersten Weltkriegs gegen ihre Deklassierung, den Westen und Polen, später revolutionär gesteigert und über sich hinausgeführt durch den Vertrag vom 23. August 1939 zwischen den Großtyrannen, die, jeder auf seine Weise, das bürgerliche Europa zu zerstören und ein totalitäres Großreich zu errichten suchten, der eine dem anderen zugleich Beichtvater und Henker.

Man hat in Moskau 1987 nicht gezögert mit der Belehrung, daß Rapallo gegen den Westen ging, das Deutsche Reich eine suspendierte Großmacht war und Rußland ein blutiger Sumpf. Der Moskauer Vertrag dagegen? Allein auf der Grundlage der Adenauerschen Westbindung sei er 1970 möglich und denkbar gewesen. Aus falscher Historie möge man nicht falsche Politik ableiten. Alptraum des Westens, Versprechen des Ostens, Versuchung der Mitte: Von Rapallo war anschließend nicht mehr die Rede. Wer aber glaubt, das Thema sei erschöpft, unterliegt einem Irrtum.

Legende und Wirklichkeit

Rapallo-Vertrag und Moskau-Vertrag, zwar liegen sie weit auseinander. Ein halbes Jahrhundert trennt sie, dazu die deutsche Katastrophe, der Zweite Weltkrieg, das kurze Kondominium der Weltmächte und ihr langes Schisma, die deutsche Teilung als Kern und Ausdruck der bipolaren Welt, Nuklearisierung und Stabilisierung des nacheuropäischen Weltsystems. Vieles spricht für die Verschiedenheit, wenig für die Parallelität. Und doch ist daran zu erinnern, daß 1922 wie 1970 die große Macht des Ostens und das Schlüsselland in der Mitte Europas miteinander kontrahierten und daß im Westen Unbehagen herrschte, die Deutschen geleitet durch ihren ältesten Instinkt, Rückversicherung nach Osten, die Sowjets durch ihre älteste Erkenntnis, daß sich Europas Schicksal in seiner Mitte entscheidet.

Der am 18. Juni 1887 zwischen dem deutschen Kaiserreich und dem Rußland der Romanows abgeschlossene Rückversicherungsvertrag galt, seitdem er 1896 veröffentlicht worden war, Generationen von Deutschen als Schlußstein im genialen Bündnissystem Bismarcks, seine Nichterneuerung 1890 unter Reichskanzler von Caprivi als Anfang vom Ende.

So ging der Vertrag in die Legende Bismarck ein, Maßstab seiner Größe und der Kleinheit derer, die ihm folgten, und der große Mann hat mittels der Inszenierung seines Abschieds am meisten dazu beigetragen. In Wahrheit war der Vertrag letzte Aushilfe in einem »System der Aushilfen« (Lothar Gall), nicht Beweis der Stärke Bismarckscher Außenpolitik, sondern Ausdruck ihrer Widersprüche. Bismarck: »...daß wir drei Jahre hindurch die Zusicherung haben, daß Rußland neutral bleibt, wenn wir von Frankreich angegriffen werden.« Der Staatssekretär des Auswärtigen Amtes, Bismarcks Sohn Herbert, war das Echo des Kanzlers, wenn er sagte, der Vertrag halte »uns im Ernstfall die Russen wohl doch sechs bis acht Wochen länger vom Hals als ohne dem«.

Der Vertrag umfaßte sechs Artikel und ein geheimes Zusatzprotokoll. Eingangs versicherten Petersburg und Berlin einander, im Fall des Krieges »mit einer dritten Großmacht« – die Russen dachten an die Donaumonarchie, die Deutschen an Frankreich – wohlwollende Neutralität zu bewahren und den Krieg örtlich zu begrenzen. Hätte allerdings, so öffnete man sich den Notausgang, einer der Vertragspartner durch Angriff den Krieg herbeigeführt, dann wäre die andere Seite ungebunden. Der Sinn: die Russen vom Angriff auf Österreich abzuhalten, den der Panslawist Katkow und die Seinen leidenschaftlich propagierten.

Die deutsche Gegenleistung: Bulgarien sollte Teil der russischen Einflußsphäre sein. Auf dem Balkan durfte ohne Einverständnis Berlins und Moskaus nichts sich ändern. Artikel III und das ganz geheime Zusatzprotokoll betrafen Bosporus und Dardanellen: Sollte der Zar entscheiden, »zur Wahrung der Interessen Rußlands selbst die Aufgabe der Verteidigung des Zugangs zum Schwarzen Meer zu übernehmen«, so werde Deutschland wohlwollend neutral bleiben. Man werde, moralisch und diplomatisch, den Zaren unterstützen, »den Schlüssel seines Reiches in der Hand zu behalten«.

Die Bestimmungen über Bulgarien gingen gegen Österreich, die über die Meerengen gegen England. Bismarck hatte den zögernden russischen Außenminister Giers dazu gedrängt. Vielleicht wollte er auf diese Weise England des deutschen Bündnisses bedürftig machen? Die Begründung kam aus machtstaatlichem Egoismus: »Unsere Interessen sind mehr als die der anderen Mächte mit dem Gravitieren der russischen Macht nach Süden verträglich.« Es wiederholte sich hier die Konstellation preußisch-russischen Einverständnisses aus der Zeit des Krim-Krieges, welche der Reichsgründung vorgearbeitet hatte. Und es wurde die Lage des November 1940 antizipiert, als Molotow in Berlin war und als Preis sowjetischen Stillhaltens nicht nur Kontrolle der Ostseeausgänge verlangte, sondern auch Stützpunkte an den türkischen Meerengen.

Die deutsche Macht ging im Krieg gegen Rußland unter, die

sowjetische aber wuchs, und als Stalin nach der Kriegswende 1942/43 vom Westen anmahnte, was Molotow in Berlin verlangt hatte, da lehnten die Amerikaner ab, was den Süden betraf, und die Briten wußten, daß sie die »Baltic approaches« vor den Sowjets erreichen mußten. Marine-Minister Forrestal schickte 1946 das Schlachtschiff »Missouri« zum Flaggezeigen an den Bosporus, und 1947 nahm Amerika mit der »Truman-Doktrin« gegen die Nachfolger Peters und Katharinas die Erbfolge des British Empire im östlichen Mittelmeer auf – und hält sie bis heute.

Dem Rückversicherungsvertrag parallel lief die Verdrängung russischer Papiere und damit russischer Industriefinanzierung vom vordem maßgeblichen Berliner Finanzplatz, als Bismarck beim Börsenvorstand in Berlin ein Lombardverbot erwirkte. Der leistungsfähige französische Anleihemarkt speiste seitdem die ewig kapitalhungrige russische Industrie – bis heute haben Frankreichs Sparer den größten Teil ihres Geldes, infolge 1917, nicht wiedergesehen. Zugleich begann die Vertiefung der Beziehungen durch technische Rüstungshilfe der französischen Armee an die russische. Das alles kulminierte, wie George F. Kennan zeigte, im französisch-russischen Bündnis 1892, um das europäische System zu revidieren: die verlorenen Töchter wieder an Frankreich, das osmanische Erbe an die Zaren und vielleicht auch das österreichische.

Vorausgegangen waren dem Vertrag Krisen, Kräftemessen, Aufmärsche in Ost und West und in der Mitte. Von Berlin gesehen, lag die Gefahr im Osten, im Westen war nur Lärm. Da hatte der französische Kriegsminister Boulanger von Revanche geredet, doch Parlament und Öffentlichkeit waren ihm nicht gefolgt, und die abenteuerliche Kriegslust endete mit dem Sturz des »Totengräbers der Monarchie« (Ph. Levillain). Bismarck lenkte unterdessen alle Ängste der Deutschen nach Westen, was den Reichstagswahlen des Januar 1887 gut bekam. Das konservativ-liberale »Kartell« gewann die Mehrheit.

Zündstoff dagegen lag im Osten, in Bulgarien, wo der russische Einfluß durch den Battenberger Fürsten, undankbares Geschöpf des Zaren, zurückgedrängt worden war mit Hilfe der Österreicher und der Briten. Als die Russen nun den Battenberger stürzen ließen und ein Coburger Prinz gewählt wurde, geriet ihnen die Entwicklung vollends aus der Hand. Österreichs Außenminister von Kalnoki hatte triumphiert, die Hofburg werde niemals ein russisches Protektorat über Bulgarien hinnehmen. Den Russen aber, groß im Selbstmitleid, galten die Deutschen als die Schuldigen. Die Erneuerung des alten Drei-Kaiser-Vertrags war angesichts der hochgehenden Stimmung unter Moskaus Panslawisten wie in Österreichs Armee nicht mehr möglich.

So blieb für Berlin der Versuch, die Konflikte einzudämmen, dem Deutschen Reich eine Reserverolle zu sichern und damit dämpfend auf Wien und Petersburg einzuwirken. Daraus entstand in strengster Geheimhaltung 1887 der deutsch-russische Vertrag, nicht Meisterstück Bismarcks, sondern Krisenmanagement am Rande des Krieges. Man wollte in Berlin, 1914 ahnend, der tödlichen Option zwischen Wien und Petersburg ausweichen. Der Preis war hoch, den Bismarck für den Frieden zu zahlen bereit war. Das zeigte das Geheimabkommen über die Meerengen: Ließen die Russen das eines üblen Tages bekanntwerden, dann war der Vertrauensverlust in London und Wien für Berlin fast irreparabel. Im übrigen hat Bismarck, später Schüler des verblichenen Fürsten Metternich, damals nicht nur jedem Präventivkrieg widerraten, sondern er begann wohl auch nachzudenken, wie im Ernstfall durch ein großes Geschäft mit Rußland zu Lasten der Osmanen und notfalls auch zu Lasten Österreichs der deutsche Frieden mit Rußland doch noch einmal zu erkaufen wäre.

Wie George F. Kennan bemerkte, war Bismarck der letzte unter den europäischen Staatsmännern, der noch eine Gesamtvision der Sicherheit Europas hatte. Revolution, auch die von oben, blieb immer Revolution. Seit 1871 hatte Bismarck deshalb alles getan, vom Deutschen Reich die Folgen seiner Gründung abzuwenden. Das Disraeli-Wort des Februar 1871 von der »German revolution« wurde Bismarck Warnung, daß es nun genug sein müsse mit den Hammerschlägen in der Mitte Europas. Konnte es aber gelingen, die nationalrevolutionären Kräfte, die bis 1870 soviel vorangebracht hatten, fortan zu zügeln und ruhigzustellen? Würde es gelingen, die Dritte Republik Frankreichs in jenem Zustand der Demütigung und Schwäche zu halten, in welchen der Zusammenbruch des Empire, fünf Milliarden Goldfrancs Reparationen, der Verlust Elsaß-Lothringens und der Aufstand der Commune das Land 1870/71 geworfen hatten?

Ein Gebot der Vernunft

Niemals würde es ein Bündnis geben mit der Dritten Republik. »Frankreich ist unmöglich«, sagte Bismarck, das Scheitern düster quittierend. So blieb allein, Frankreich zu isolieren: durch Bündnisse, durch Druck, durch Solidarität der Throne gegen die radikale Republik. Das hat sich eine Weile auch so angelassen und konnte doch nicht von Dauer sein. Vor allem ließ sich das Kontinentalbündnis der drei Kaiser, das an den Wiener Kongreß erinnerte und an die Heilige Allianz, unterdessen aber mit Preußen-Deutschland in der Führung, nicht mehr sichern. Die Kämpfe um das Balkan-Erbe der Osmanen führten schon 1877/78 an den Rand des Krieges zwischen Rußland auf der einen, Österreich und England auf der anderen Seite. Damals standen die Kosaken kurz vor Konstantinopel. Da lief eine britische Armada ins Schwarze Meer ein, auf Malta hielt sich Infanterie bereit. So mußten die Russen in London verhandeln, der Bär die Beute wieder preisgeben: Ein russisch beherrschtes Großbulgarien vom Schwarzen Meer bis zur Ägäis konnte es, solange England das Mittelmeer beherrschte, nicht geben. Die Russen aber hofften, ihre Niederlage zu korrigieren, wenn nur Bismarck ihnen beistand. So kam es zum Berliner Kongreß, Sommer 1878, Höhepunkt der deutschen Friedensrolle in Europa und doch schon von bösen Vorzeichen belastet.

Mißtrauen zwischen Petersburg und Berlin war das Ergebnis, die Antwort im Sommer 1879 der deutsch-österreichische Zweibund. Er sollte die europäische Beruhigungsfunktion des Alten Reiches und des 1866 aufgelösten Deutschen Bundes wiederherstellen und konnte es doch nicht. Wilhelm I., der sich noch des Winters der Besiegten erinnerte, 1806/07 in Königsberg und Memel, als Preußens Existenz allein von der Konvenienz des Zaren abhing, hatte vor der österreichischen Allianz gewarnt und gewarnt und endlich nachgegeben und hätte es doch besser nicht getan. Noch als er 1888 starb, wollte er dem Nachfolger sagen: »Mit dem russischen Zaren mußt Du immer Fühlung halten, da ist kein Streit nothwendig.«

Seit 1879 war Deutschland fast auf Gedeih und Verderb an das morsche Reich der Habsburger gebunden, der Rückversicherungsvertrag wurde 1887 letzte Verwahrung gegen diese Fatalität. Denn früher oder später mußte sich zum deutschfranzösischen Antagonismus am Rhein der russisch-österreichische an der Donau gesellen – und wenn dann England aus seiner Rolle des Gleichgewichts trat, dann war die Selbstzerstörung Europas nur noch eine Frage der Zeit.

Entsprach der Rückversicherungsvertrag von 1887 klassischen Linien deutscher Sicherheitspolitik in Europa? Wenn er das war – und so ist er von Bismarck bis Stresemann verstanden worden –, dann war diese Sicherheitspolitik in Verzweiflung geboren, und in Verzweiflung mußte sie enden. Seit Friedrich dem Großen hat Rußland eine Schiedsrichterrolle zwischen Weichsel und Rhein beansprucht. Im Frieden von Hubertusburg 1763 wurden die Zaren Vetomacht Zentraleuropas, und nichts sollte gegen ihren Willen dort geschehen. Mit ihnen im Einvernehmen zu stehen wurde seitdem für Preußen Staatsräson, im guten wie im bösen. Was das letztere betrifft, so ereignete es sich nur zehn Jahre nach Hubertusburg, daß die russische Zarin die erste Teilung Polens in Gang setzte und, als die Revolution Frankreichs Macht annullierte, 1793 die zweite. Und 1795 war von Polen nichts mehr da, und Preußen und Rußland blickten einander über die Grenzpfähle entgegen. Jedesmal hat Preußen mitgemacht, weniger aus Landgier und mehr, um sich die Kosaken um so viel Meilen vom Leibe zu halten, als polnisches Land dazwischenzulegen war. Ein schauerliches Spiel und für Preußen, was Bismarck nie vergaß, Memento mori.

Sich gut zu stellen mit den Zaren war preußische Vernunft – wer konnte das je vergessen? 1807 wäre es um Preußen geschehen gewesen, wenn nicht der Zar eine Pufferzone dieses Na-

mens für zweckmäßig gehalten hätte, um seinerseits französische Artillerie und Kavallerie auf Abstand zu halten. Nach der
Napoleonischen Katastrophe zwischen Moskau und der Beresina, als das preußische Korps unter General von Yorck am
30. Dezember 1812 sich in der Konvention von Tauroggen neutral erklärte, Preußen für einen historischen Moment Zünglein
an der Waage zwischen Ostkaiser und Westkaiser, da sprachen
die kleinen Leute in Ostpreußen und in der Mark Brandenburg, als die Russen kamen, von den »Befreiungsbestien«. Sie
vergaßen die Befreiung nie, die einer Eroberung so verteufelt
ähnlich sah. Welches Grundgebot deutscher Politik ließe sich
aus alledem ableiten bis heute? Abwehr oder Bündnis? Komplizenschaft oder Gegnerschaft? Es war immer eine miserable
Wahl, und man mußte alles tun, sich ihr zu entziehen.

Seit dem Wiener Kongreß 1814/15 regierte der Zar aufs neue
in allen deutschen Dingen mit und wurde dafür auf der politischen Linken gehaßt. Auf der Rechten war man ihm, wie noch
Bismarcks »Erinnerung und Gedanke« erweist, nur in Maßen
dankbar. Karl Marx predigte 1848 den Endkampf gegen den
zarischen Despotismus, um die europäische Arbeiterrevolu-
tion einzuleiten. Die Umkehrung der Dinge seit 1917 hätte ihn
wohl in Erstaunen versetzt.

Bismarck dagegen zog aus 1848 den historischen Schluß, daß
nur im Einverständnis mit dem Zaren Preußen nationale Führung haben könne. Schwächung und Demütigung Rußlands infolge des Krim-Krieges halfen ihm dabei ebenso wie der polnische Aufstand von 1863. Die Berliner Diplomatie hat diese
neue polnische Tragödie kalt beantwortet durch die Konvention Alvensleben: Auslieferung übertretender polnischer Frei-
heitskämpfer an ihre russischen Verfolger. So emanzipierte
sich Preußen von seiner alten Gefolgschaftsrolle, machte auf
eigene Faust Politik in Deutschland und besiegte 1866 Österreich. Bismarck schrieb später, seit dem Krim-Krieg sei man
Rußland gegenüber »bedeutend in Vorschuß« gekommen. In
Moskau dagegen beklagte man sich, Preußen habe die geleiste-
ten Dienste schlecht honoriert, als Bismarck auf dem Berliner
Kongreß Rußland allein ließ. »Ehrlicher Makler«? Bismarcks
Bankier Bleichröder bemerkte dazu, kühl und ahnungsvoll:

»Es gibt keinen ehrlichen Makler.« Am Ende seines Lebens beklagte Bismarck, es sei »der russische Anspruch schon über Gleichberechtigung hinaus gediehen«, und man verlange Unterordnung.

Traum und Alptraum

Welches Grundgebot deutscher Politik ließe sich ableiten aus diesen Erfahrungen der Macht und des Zynismus? Unter den Bedingungen des 20. Jahrhunderts wurden sie allesamt ad absurdum geführt, die Sowjetunion war Weltreich geworden, Deutschland aber, wie Stalin in Potsdam bemerkte, ein geographischer Begriff. Wenn der Traum der Rückversicherung schon Bismarck zum Alptraum geriet und nach ihm Rathenau, der den Rapallo-Vertrag unterzeichnete, und Stresemann nicht anders, der 1926 den Berliner Vertrag hinzufügte – wie sollte die Bundesrepublik, ihr geographischer Umriß von Katastrophen gezeichnet wie ihr seelischer Habitus, das große Spiel noch einmal spielen? Es mißlang den Deutschen schon, als Berlin noch auf halbem Wege zwischen Köln und Königsberg lag und das ungeteilte Deutschland noch europäische Großmacht war. Für die Bundesrepublik könnte es nur im Desaster enden: Dieser Staat wird Teil des Westens sein und des atlantischen Systems, oder er wird nicht sein.

Gewiß, die Sowjetunion verfügt über 16 Millionen Deutsche und ihr Land. Sie hält den Schlüssel zur deutschen Einheit. Sie ist Mit-Souverän über Berlin und über alles, was nach der Potsdam-Formel »Germany as a whole« Deutschlands Einheit noch bedeutet. Aber was folgt daraus? Für Adenauer und die Gründer der Republik innere und äußere Bindung an den Westen. Wenn einmal die Entscheidung anders lauten sollte, dann wäre zum dritten Mal in einem Jahrhundert das deutsche Unglück auch das europäische.

Zwei Mächte können, auf ihre je verschiedene Art, die westliche Allianz zerstören: die eine Amerika, die andere der freie Teil Deutschlands. Das wäre, für beide, Akt der Verzweiflung: Abdankung von Weltmachtrolle und *manifest destiny* im Fall der Vereinigten Staaten, Selbstpreisgabe im Fall der Deutschen und vorgreifende Kapitulation im ideologischen Weltbürgerkrieg. Die deutsche Wiedervereinigung allerdings wäre dann, wie nebenbei, zu haben, aber bezahlt mit Freiheit, Selbstachtung und Würde.

Rückversicherung? Neutralismus? Äquidistanz? Für solche Versuchung der Mitte gilt, was Gustav Adolf von Schweden, als er 1631 an der deutschen Ostseeküste landete, seinem Schwager von Brandenburg übermitteln ließ: »Quisquiliae, die der Wind verweht.«

20. Söhne und Väter

Liebe und Ehrgeiz, der Kampf um die Macht und der Widerspruch zwischen den Generationen: ohne sie gäbe es weder Komödie noch Tragödie, weder Geschichte noch Politik. Der Kampf der Söhne gegen die Väter ist vom ältesten Stoff und vom neuesten. Vieles spricht dafür, daß die Verschiebungen, die seit einem Jahrzehnt das deutsche Parteiengefüge heimsuchen, mit dem Erbe älterer Epochen mehr verbindet, als unsere Schulweisheit sich träumen läßt.

In Deutschland gibt es seit der Französischen Revolution einen Rhythmus von Revolte und Antirevolte, verbunden mit dem Konflikt der Generationen. Der französische Historiker Henri Brunschwig gewann im Berlin der dreißiger Jahre diese Erkenntnis und verschlüsselte sie historisch: Er schrieb über die politische Romantik um 1800 und berichtete vom Aufstand der Gesellen und Studenten, von dem Untergang alteuropäischer Lebensformen und der Lust der Söhne, Rache zu nehmen an den Vätern.

Der Wiener Kongreß 1814/15 formulierte nach einem Vierteljahrhundert Krieg und Bürgerkrieg die Absage der Väter an die Abenteuer der Söhne. Diese Ordnung hielt für die Dauer einer Generation. Dann entzogen ihr Armut und Hunger, Zerfall der Agrargesellschaft und Aufbruch der Industriegesellschaft die Geltung. 1848 war das Recht der Väter den Söhnen nur noch Unrecht. Zwar triumphierte die Gegenrevolution. Aber das »tolle Jahr« ließ nichts mehr, wie es gewesen.

Bismarcks preußisch-deutsche Reichsgründung verband Revolution und Gegenrevolution; die Söhne fanden sich unversehens an der Seite ihrer Väter. Aber Vorsicht und Vorbehalte der alten Männer waren nach einer Generation erschöpft. Das Versprechen imperialer Expansion, technischen Aufbruchs und wirtschaftlichen Wachstums ließ die Enkel rebellieren. Max Weber 1895 über die Einigung Deutschlands: ein Jugendstreich, den die Nation auf ihre alten Tage beging und seiner Kostspieligkeit halber besser unterlassen hätte, wenn sie ein Ende sein sollte und nicht ein Aufbruch. Zwischen Gottesgnadentum und Technokratie verkörperte Wilhelm II. die Doppeldeutigkeit des modernen Deutschland. Im Frühtau zu Berge brach die Jugendbewegung auf und verachtete Städte, Industrie und Aktiengesellschaften. Sie suchte Sinn und Führung, blaue Blume und innere Wahrhaftigkeit. Die letzten Ferien vom Ernstfall gingen zu Ende.

Dann räumte der Weltkrieg die bürgerliche Zivilisation ab. Der Dichter Stefan Zweig hat – »Die Welt von gestern« – seelische Wurzeln des Geschehens angedeutet: Dieselbe entfesselte Dynamik, die zuvor die Geister gejagt hatte, stürzte nun die Leiber in den Massentod.

In Weimars Nationaltheater trafen sich 1919 alte, traurige Männer, das Beste des 19. Jahrhunderts zu retten: liberale Demokratie, soziale Bewegung, christliche Lebensform. Aber die papiernen Dämme der Verfassung konnten Inflation und Wirtschaftskrise nicht aufhalten, den Nihilismus nicht ruhigstellen, die totalitäre Versuchung nicht bannen. Ortega y Gasset – »Der Aufstand der Massen« – sah im Jugendkult ein Leitmotiv der Zeit und erschrak 1930 vor dessen Sprengkraft.

Am Ende von Weimar ging es zwischen Demokraten und Antidemokraten nicht nur um die Republik, sondern es trennte sie auch die Erfahrung einer ganzen Generation: die Verteidiger der Demokratie im Reichstag um die 60, die Angreifer um die 30, zornige Söhne gegen müde Väter. Welt-Rassenkampf und Welt-Klassenkampf, deren Vorkämpfer einander auszutilgen suchten, haßten doch am meisten und gemeinsam die liberale Demokratie.

Die Bundesrepublik war das Werk alter Männer. Deren Jugend lag im Kaiserreich, ihr Scheitern in Republik und Widerstand. Nicht aufgehoben war 1945 der Generationenkonflikt, sondern auf den Schlachtfeldern des Zweiten Weltkriegs geblieben und in den Gefangenenlagern Rußlands. Das Grundgesetz wurde eine Verfassung der Erfahrung für gebrannte Kinder. Während der Spanne einer Generation hat dieser Rahmen den Konsens der Republik bestimmt und den Konflikt begrenzt.

Zwanzig Jahre später taten sich Fortschrittsglaube und Technokratie gegen das lastende Gewicht der Vergangenheit zusammen: wider die Geschichte, die ausgebrannten Städte und die trostreichen Alleebäume der Vergangenheit. Seit der Mitte der sechziger Jahre wandelten sich Werte und Mentalitäten. Die Folgen bleiben eingegraben in die Sozial- und Ideengeschichte der Gegenwart. Im Mummenschanz der Universitätsrevolte kam der Generationenkonflikt noch einmal zurück.

Aber was als brutaler Spaß begann, schlug um in Pessimismus, als das Öl knapp wurde, die Wälder erkrankten, die Machbarkeit ihre Grenzen fand. Die neue Ratlosigkeit sucht seitdem einen Rat, den die Parteiendemokratie nicht schafft, und eine Transzendenz, die die säkularisierte Welt verweigert.

In seinem parlamentarischen Abschied bemerkte Helmut Schmidt, ähnlich wie Adenauer 30 Jahre zuvor: »Wir Deutschen bleiben ein gefährdetes Volk, durch Geschichte und Lage in besonderem Maß der abwägenden Vernunft bedürftig.« Keine Geschichte hat sich jemals wiederholt. Aber Gefühle des Déjà vu bleiben niemandem erspart.

21. Schmerzliche Geschichtsstunde

Am 17. Juni 1987, Tag der Deutschen Einheit, sprach im Deutschen Bundestag der Historiker Professor Dr. Fritz Stern, Amerikaner deutscher Abstammung, der nach 1933 aus Deutschland vertrieben wurde. Es war eine große, politisch und literarisch anspruchsvolle Rede.

Das ungeteilte Deutschland habe unsagbares Unglück für andere Völker und für sich selbst gebracht. Der Satz, in feierlicher Rede am 17. Juni 1987 im Deutschen Bundestag gesagt, wiegt für das Bild der Vergangenheit so schwer wie für den Entwurf der Zukunft und lädt ein zum Nachdenken. Über Schuld und Verbrechen der deutschen Diktatur – wer wollte da streiten? Aber die Frage bleibt, ob es die Ungeteiltheit Deutschlands war, die der Welt zum Unheil ausschlug.

Das ungeteilte Deutschland war das Deutschland Bismarcks, national und liberal, preußisch und obrigkeitlich: »the German revolution« nach dem warnenden Wort des Tory-Führers Benjamin Disraeli (1871). Seit den Greueln und Katastrophen des Dreißigjährigen Krieges hatten die europäischen Mächte es als Erstgeburtsrecht betrachtet, daß die Mitte des Kontinents ruhiggestellt war und nichts sich ändern konnte gegen ihren Willen. Ihr Aufstieg hatte zur Voraussetzung, daß Deutschland in sich selbst ruhte und im europäischen Gleichgewicht.

Noch die Wiener Ordnung hat 1814/15 dieses Gefüge, europäisches Konzert und deutsches Gleichgewicht, wiederhergestellt: um der Wiederholung der Napoleonischen Hegemonie zu wehren, Rußland hinter der Weichsel zu halten und die deutsche Revolution zu verhüten.

Denn seit der Französischen Revolution fanden die Deutschen sich im Zwiespalt, voranzumüssen »vom Weltbürgertum zum Nationalstaat« (Friedrich Meinecke) oder für Gleichgewicht und Frieden der nationalen Selbstbestimmung zu entsagen und damit der Hoffnung auf demokratische Verfassung und liberalen Staat. Die Lösung des Dilemmas wurde 1848/49 von unten gesucht und 1870/71 von oben entschieden.

Bismarcks Deutschland suchte noch Vermittlung zum älteren europäischen Konzert durch konservative Innenpolitik und Bündnisse, die nicht auf Führbarkeit des Krieges, sondern auf Bewahrung des Friedens setzten. Als aber das europäische System an der Jahrhundertwende sich weitete zum Weltmächtesystem, da mußten die Deutschen, hoch und niedrig, links und rechts, dabeisein. Aus Weltwirtschaftspolitik folgte Weltpolitik. Die Versuchung europäischer Hegemonie aber mußte dem Land in der Mitte zum Unglück geraten.

Das ungeteilte Deutschland war auch das Land des sozialdemokratischen Reichspräsidenten Ebert und des liberalen Reichsaußenministers Stresemann. Jeder auf seine Weise, standen sie für den Versuch, das Dilemma des deutschen Nationalstaats aufzulösen, diesmal nach Westen. Die schneidende Antwort kam aus Versailles 1919. Die Republik mußte büßen für den verlorenen Krieg des Kaiserreichs. Otto Braun, den man in der Weimarer Zeit den »roten König« von Preußen nannte, wurde im Exil gefragt, was die Republik zerstört habe. Die Antwort: »Versailles und Moskau.« Der Sozialdemokrat übersah nicht die Schwäche der Institutionen, die Weltwirtschaftskrise und den Geist des Bürgerkriegs. Aber die Einheit war ihm und den Seinen nicht Grund des Unglücks.

Sie war für die Diktatur Voraussetzung, wie vordem für die Republik: eine Bedingung wie andere auch – technischer Fortschritt, sozialer Wandel oder die Französische Revolution. Die Einheit war notwendig, aber schwerlich ausreichend zur Erklärung der Tyrannei und ihres Krieges. Dem geteilten Deutschland ging das ungeteilte voraus nicht wie die Schuld der Strafe, sondern wie dem Regen das Gewitter.

Es ist eines, daß die Teilung existiert und niemand einen Weg der Vernunft und Freiheit für ihre Überwindung den Karten der Politik einzuzeichnen weiß. Es ist ein anderes, ihr Sinn zuzusprechen für Vergangenes und damit Geltung für Kommendes. War die Einheit Deutschlands der große Grund der Zerstörung Europas und des Unfriedens der Welt, dann darf die Macht, die die Teilung bewirkte und sie erhält, historisches Mandat und heimliches Einverständnis reklamieren.

Wollte der Westen sich darauf einlassen, so wäre nicht nur

Artikel 7 des Deutschlandvertrages dahin, mit dem die Verbündeten das Ziel der Einheit in Frieden und Freiheit unterschrieben, sondern auch anderes. Es wäre die Hoffnung der Patrioten von 1848 und ihrer Nachfolger gestern, heute und morgen nichts als fatale Illusion und »German revolution«.

Wenn den Deutschen auf diesem Feld, so warnte 1966 Henry Kissinger, zuviel an Verzicht zugemutet werde und wenn sie mit ihrem nationalen Begehren im Westen nur auf taube Ohren stießen, würden sie sich künftig vielleicht einmal mit dem Osten arrangieren zur Lösung des Problems. Das aber kann die Antwort nicht sein. Sie kann nur darin bestehen, daß die Freiheit Kern der Deutschen Frage bleibt und dafür Einverständnis und Unterstützung der Nachbarn gesichert werden. Die Verwahrung, die 1970/72 im »Brief zur deutschen Einheit« lag, ist unverbraucht.

Alles andere führt in neues Sonderbewußtsein und vielleicht zu neuer »German revolution«. Und selbst wenn es so gewesen wäre, daß die deutsche Einheit der Welt zum Unglück geriet, so ist noch nicht ausgemacht, daß die deutsche Teilung ihr zum dauerhaften Glück gereicht. Die Lehren der Geschichte kommen wie die Sprüche des Orakels von Delphi: In Kenntnis der Vergangenheit und mit politischer Klugheit haben die Menschen hier und heute ihrer Botschaft Sinn und Richtung abzuringen.

III. Wie breit ist der Atlantik?

22. Europa und der Raketenschild

Die »Strategic Defense Initiative« (SDI), die der amerikanische Präsident im März 1983 als große Vision entworfen hat, wurde in Europa insgesamt und auch in der Bundesrepublik zunächst völlig überschattet durch das alles beherrschende Thema: Durchführung des NATO-Doppelbeschlusses vom Dezember 1979. Erst Ende 1984 bemerkte man in Bonn und anderswo in Europa, daß SDI den technischen Entwurf einer strategischen Revolution enthielt: Ende der »mutual assured destruction«. Dazu verriet SDI tiefen Zweifel der amerikanischen Führungsschichten an der Vereinbarkeit der Abschreckung mit dem Grundgefühl der amerikanischen Demokratie: the right to the pursuit of happiness.

Objekt oder Subjekt der Entwicklung? Das war von Anfang an für die Europäer, zumal die von der »erweiterten Abschreckung« existentiell abhängigen Deutschen, eine unakzeptable und unmögliche Alternative.

SDI ist die Chiffre, welche die Kritiker des amerikanischen Präsidenten mit »Krieg der Sterne« übersetzen. Tatsächlich handelt es sich vorerst bei der »Strategic Defense Initiative« um ein Bündel von Forschungsaufträgen an – zunächst ausschließlich – amerikanische Unternehmen im Hochtechnologiefeld. Die Russen gingen im vergangenen Jahrzehnt ohne Lärm voran. Wer zuerst einen einigermaßen verläßlichen Raketenschild hat, zieht das Gesetz des Handelns an sich.

Die Sowjets fürchten aber, daß der amerikanische Forschungs-Spurt sie außer Atem bringt. Er droht, die mühsam errungene nukleare Parität zu entwerten. Deshalb verdoppeln sie ihre Anstrengung im Wettlauf, während sie gleichzeitig die Vereinigten Staaten durch Konferenzdiplomatie binden wollen und durch die Europäer zu bremsen suchen. Darum vor allem geht es in Genf – und in den westeuropäischen Hauptstädten.

Es liegt in der Logik der Sache, daß die überanstrengte Nuklearmacht Frankreich einem Forschungskonzept wenig Enthusiasmus entgegenbringen kann, dessen Ziel es ist, Raketen in der Start- oder Flugphase zu zerstören. Das um so hohen Preis erkaufte Reservat nationaler Souveränität würde, sobald die Sowjets ähnliches in Umlaufbahnen bringen, wertlos. Es wird eines Umbruchs im strategischen Denken Frankreichs bedürfen, um einen Konflikt zu vermeiden, aus dem sich die Bundesrepublik schwerlich heraushalten könnte. Die deutsche Diplomatie muß diesen Konflikt abfangen.

Dies wird um so notwendiger sein, als technische Beteiligung an der Forschung für SDI, die Gewinnung neuer Forschungsergebnisse als »spin-off« und Mitsprache bei der politischen Einbindung der Strategischen Verteidigungsinitiative nur denkbar sind, wenn die Westeuropäer mit einer Stimme sprechen. Leisten sie das, so gewinnt die Integration. Leisten sie es nicht, so leidet die europäische Zusammenarbeit, in ihrem Kern das deutsch-französische Bündnis.

Manche schnellen Kritiker des SDI-Programms sehen schon heute die strategische Abkoppelung Europas von Amerika am Horizont. Wie immer es sich damit verhalten wird gegen Ende dieses Jahrhunderts, die Gefahr ist berechenbar und politisch zu bewältigen. Heute ist jedoch bereits zu erkennen, daß die Europäer vom Kreml gedrängt werden, den Amerikanern einen Tausch nahezulegen: russischen Verzicht auf einen Teil jener über 400 SS-20-Mittelstreckenraketen, in deren Machtschatten Europa liegt, gegen einen amerikanischen Teilverzicht auf SDI. Abgesehen von den erfahrungsgemäß kaum lösbaren Fragen der Überprüfung sowjetischer Versprechen, abgesehen auch von der Sorge Japans und der Länder des Fernen Ostens, es würden auf ihre Kosten strategische Ost-West-

Geschäfte gemacht: der Interessenkonflikt mit Amerika wäre unvermeidbar.

Schließlich erfährt schon heute die Bundesrepublik die Fortsetzung der sowjetischen Taktik aus den Jahren der Euro-Raketen-Krise nach der Melodie: Wir wollen die Bundesrepublik gar nicht aus der NATO brechen, aber wie schön könnte die Ostpolitik florieren, wenn die Deutschen nur SDI verhindern wollten. Eine Ost- und Deutschland-Politik um diesen Preis würde im Osten alles Gewicht und im Westen allen Kredit verlieren.

Zum ostpolitischen Zuckerbrot kommt die Großmachtpeitsche: Sollte die Bundesrepublik wagen, SDI zu unterstützen, so nennt Gromyko dies »Komplizenschaft«. Daß die Sowjets insistieren, alle drei Verhandlungsstränge müßten am Ende durch Abkommen verknotet werden, folgt auch aus dem Wunsch, die europäische Karte zu spielen. Nach der Raketenkrise ist eine neue Drohkulisse schon im Aufbau.

Die Folgerungen sind klar: Man muß den technischen und politischen Anschluß sichern, den Gleichklang der Europäer wahren, das politisch kontrollierte militärische Gleichgewicht stabilisieren und der Trennung von amerikanischer und europäischer Sicherheit vorbeugen. Nur im Verbund der forschungsstarken WEU-Staaten können die Europäer dazu beitragen, daß SDI nicht in der Agonie, sondern in Erneuerung und Ausweitung des ABM-Vertrags von 1974 endet. ABM verbietet die großräumige Raketenabwehr und beruht auf der Philosophie, der anderen Seite die eigene Bevölkerung als Geisel der nuklearen Vernunft zu stellen.

Die Sowjets haben die Philosophie der »wechselseitig gesicherten Zerstörung« nie übernommen, die Amerikaner wollen sie überwinden. Trotzdem ist der ABM-Vertrag lebensfähig, ungeachtet des wechselseitigen Vorwurfs, er sei verletzt worden: Die Amerikaner haben dafür jüngst schwerwiegende Beweise vorgelegt. Warum sollte nicht eine Formel gefunden werden, die den Sowjets das alarmierende und daher gefährliche Gefühl der Unterlegenheit erspart und die Europäer beruhigt?

Der ABM-Vertrag sollte verlängert, seine Wirksamkeit häufiger überprüft werden. Der gültige Modus müßte durch Inspektion am Ort ergänzt, die Kündigungsfrist von sechs Monaten auf drei Jahre erhöht werden. Für das Bündnis aber wäre es gut, wenn die Europäer noch 1985 zu einer gemeinsamen Politik in Sachen SDI fänden, um an der Technik teilzuhaben, genaue Kenntnisse zu gewinnen und dann mitzubestimmen, wie das neue Abwehrsystem unter das Dach des ABM-Vertrags gebracht werden kann.

Schaffen die Europäer das, so bleiben sie Subjekt, schaffen sie es nicht, so werden sie unvermeidlich Objekt. Die politischen Fragen der Weltraumverteidigung liegen nicht in der Zukunft. Sie stehen auf der Tagesordnung.

23. Die Deutschen und Genf

Es gibt gute Gründe für die deutsche Politik, die Verhandlungen der Supermächte über Rüstungskontrolle nicht nur mit guten Wünschen zu begleiten, sondern auch mit aktiver Einwirkung auf die amerikanische Seite. Es gibt ebenso gute Gründe für die deutsche Öffentlichkeit, Rüstungsbegrenzung nicht mit Abrüstung, Verhandlungen nicht mit Resultaten und Teilabkommen nicht mit Sicherheit zu verwechseln. Vor unklaren Begriffen und Wunschdenken wird gewarnt, und die verständliche Hoffnung, Verhandlungen seien ein Wert an sich, kann trügen: Die Erinnerung an Genf 1983 ist lehrreich.

Der Weg zu einer praktischen Tagesordnung in Genf wird lang sein, noch viel länger der Weg zu Ergebnissen und am längsten der Weg zu einem Vertragsbündel, das alle drei Verhandlungsebenen dauerhaft verbindet – das aber ist die sowjetische Vorgabe. Sie ist nach der sowjetischen Interessenlage verständlich, widerspricht aber der amerikanischen.

Ob am Ende mehr Stabilität oder mehr Dynamik der Rüstung stehen wird, ist nicht vorherzusagen. Die Geschichte der Rüstungskontrollverhandlungen erlaubt nur ein begrenztes Maß an Zuversicht. Denn es ist nicht ausgemacht, ob die vor 25 Jahren an der Ostküste der Vereinigten Staaten entwickelte Sicherheitstheorie nicht der Revision bedürftig ist.

Das aufgeklärte Selbstinteresse förderte damals in Washington und in Moskau die Einsicht, daß die Nuklearmächte, um nicht gemeinsam unterzugehen, zusammen ein System von Beschränkungen und Verhaltensregeln abstimmen mußten im Umgang mit der nuklearen Gefahr und dem politischen Status quo. Daß die Sowjets diese Philosophie jemals wirklich teilten, über die momentan bestehende Geschäftsgrundlage hinaus, wird durch ihre Praxis im Verlauf des dann folgenden Jahrzehnts in Zweifel gesetzt.

Heute ist die Technik weiter fortgeschritten, die alte Philosophie zeigt Risse. Aber eine neue muß erst noch entwickelt werden. Dies ist die elementare Voraussetzung für den Erfolg der Verhandlungen in Genf. Zugleich aber liegt darin auch die wichtigste und vordringlichste Aufgabe der Unterhändler. Wenn dies paradox anmutet, so ist es die Paradoxie der gegenwärtigen Lage.

Man kann sich die Aufgabe der zwei mal drei Verhandlungsteams in Genf in einem Bild verdeutlichen. Sie sitzen nicht an einem einzigen Schachbrett, sondern an deren drei. Auf dem ersten geht es um die Mittelstreckenwaffen (INF), wie schon 1983. Daran haben die Europäer ein großes, aber durchaus von Land zu Land unterschiedliches Interesse, und die fernöstlichen Länder auch. Auf dem zweiten Brett geht es um Interkontinentalraketen, auf dem dritten um die Frage, was und wieviel an Offensiv- und Defensivwaffen im erdnahen Weltraum stationiert werden darf.

Unglücklicherweise stehen die drei Schachbretter nicht nebeneinander, sondern sind durch die strategische Wirklichkeit und das Verhandlungsmandat ineinander verkeilt. Damit nicht genug, auch die Wiener MBFR-Gespräche von Ewigkeit zu Ewigkeit über konventionelle Rüstungsbegrenzung in Europa, die Genfer Verhandlungen über chemische Waffen und die Stockholmer Verhandlungen über Vertrauensbildung und Sicherheit in Europa (KVAE) sind logisch und politisch mit der komplizierten Genfer Partie verknüpft.

Es ist gut, daß wieder verhandelt wird: Wenn die Deutschland-Politik zur einzigen Ost-West-Arena wird, ist sie hoffnungslos überlastet. Die deutsche Politik hat an ihrem Platz dazu beigetragen, daß die neuen Genfer Verhandlungen überhaupt zustande kamen.

Bis zu dem Punkt, da die Nachrüstung tatsächlich stattfand, war es für die Kreml-Führer das vornehmste Ziel, durch den Machtschatten ihrer Raketen ein Veto gegen die Sicherheitspolitik der NATO in Europa zu erzwingen. Hätten sie reüssiert, so wären die Folgen unabsehbar gewesen für das westliche Bündnis, die innere Lage der Bundesrepublik und ihre Abwehrfähigkeit gegen politische Erpressung von außen.

Jetzt ist das Bedingungsgefüge zwischen Abschreckung und Entspannung einigermaßen repariert. Die Auswirkung ist in Genf zu registrieren in Form der Verhandlungen. Wieviel Hoffnung aber auf Genf zu setzen ist, hängt nicht allein vom Geschick der Unterhändler ab, auch nicht allein von der Weisheit ihrer Instruktionen.

Aus Geographie und Geschichte Europas hat die Bundesrepublik Deutschland die alte deutsche Schlüsselrolle in Europa geerbt, und nur Träumer können glauben, die Deutschen könnten sich ihr entziehen. Neutralismus in der Mitte Europas ist nicht die Vorstufe zum ewigen Frieden, sondern ein Rezept für sowjetische Vorherrschaft, den Verlust der Freiheit und die Zerstörung der westeuropäischen Gemeinschaft. Im Aufbruch zu solchen Sonderwegen läge eine Rebellion gegen die Geschichte und gegen die Vernunft. Denn es bleibt eine Versuchung der sowjetischen Führer, statt den langen Weg in Genf zu gehen, die Bundesrepublik durch Druck und Drohung einzuschüchtern und sich damit den kurzen Weg zur Hegemonie in Europa zu eröffnen und zu der Technologie der Zukunft. Die Sowjetunion spielt in Genf Schach, auf deutschen Marktplätzen und in deutschen Universitätsseminaren aber weiterhin Poker.

Die Deutschen, die auf Genf schauen, tun gut daran, sich eines russischen Sprichworts zu erinnern: »Wer mit dem Teufel Suppe essen will, braucht einen langen Löffel.«

24. Sowjetische Machtprojektion

Die Rote Flotte demonstriert Seegeltung und Weltmachtanspruch der Sowjetunion. Was den Zaren in der Seeschlacht von Tsushima 1905 übel ausschlug, das gelang ihren revolutionären Nachfolgern: die russische Flotte vom Küstenschutzverband zu dem zu machen, was die Briten »blue water fleet« nennen.

Die größten Seemanöver, die die Rote Flotte je unternahm, fanden um den 20. Juli 1985 im Nordatlantik statt. Übungsziel war, die lebenswichtigen Seeverbindungen der NATO abzuschneiden, Norwegen zu bedrohen und den Skandinaviern Angst zu machen. Bis ans Mittelmeer und in die Ostsee waren die Bewegungen von 75 Schiffen unter Führung des Flugzeugträgers »Kiew« und des nukleargetriebenen Schlachtschiffs »Kirow« einander zugeordnet. Die Manöver endeten am 25. Juli mit der Invasion der Nordnorwegen benachbarten Kola-Halbinsel.

Im Herbst werden Übungen zu Lande die Lektion vertiefen: Seit langem halten wachsende Verbände der Roten Armee in abnehmender Nähe zur Grenze Großmanöver ab. Die NATO beschattet sie. Aber niemand kann sagen, wann solche Super-Manöver den Angriff aus dem Stand ermöglichen. Die sowjetische Strategie stellt auf Täuschung, Überraschung und Schnelligkeit ab; Ziel ist die chirurgische Operation, der Blitzkrieg.

Regierungen im Westen wollen wiedergewählt werden. Sie müssen abwägen zwischen Einsicht in den Ernst der Lage und Rücksicht auf den Seelenfrieden der Wähler. Die Bürger der Bundesrepublik haben sich an Sicherheit gewöhnt und empfinden es als störend, an den Preis zu denken. Man ist wohl überwiegend für Abschreckung. Daß Friedenssicherung notfalls die Fähigkeit zum Kampf erfordert, dies auszusprechen ist schon grobe Taktlosigkeit. Des Ernstfalls wird in Friedenskreisen nur in der unwahrscheinlichsten Form gedacht, der nuklearen Endzeit.

Die reale Gefahr des begrenzten Konflikts diesseits der nuklearen Schwelle steht öffentlich ebenso unter Denkverbot wie die Ziele und Mittel sowjetischer Einschüchterung, die Wirklichkeit der Machtprojektion und die Wirkung der vorgreifend antwortenden, intellektuellen Kapitulation. Politiker, die davon sprechen, kommen in die Strafecke der Medien: Der Bote büßt für seine Botschaft.

Die Konvention der Harmlosigkeit ist das kostbarste Tabu einer Zivilisation, die öffentliches Übertreten viktorianischer Moralbegriffe für den Gipfel der Verwegenheit erkannte – wofür sie sich durch alle Wohltaten des sozialen Systems und der Rechtsprechung entschädigen läßt. Die Deutschen verloren zwei Weltkriege – warum aber auch den Mut, den Ernstfall zu denken?

Die Großmanöver der Sowjetunion verfolgen beides: für die Zukunft die Bedingungen des Sieges bestimmen und für die Gegenwart sowjetischen Interessen Nachdruck geben. Machtprojektion heißt, das Denken des Gegners bestimmen, ihm die Initiative nehmen und ihn unfähig machen zur Selbstbehauptung. Erfolgreiche Machtprojektion erzeugt schielenden Blick und krummen Rücken.

Die Grenze von Krieg und Frieden verwischt sich auf diese Weise. Das Ziel ist, mitten im Frieden den Westen zu zermürben und vorgreifende Unterwerfungen zu erzwingen. Das Mittel dagegen ist Abschreckung durch Gleichgewicht. Aber Gleichgewicht ist kein Besitztum für immer. Es ist nicht Ende des Nachdenkens, sondern Zielpunkt ständiger Anstrengung.

1975 forderte der damalige Bundeskanzler Schmidt mit Recht, die eurostrategische Raketenrüstung der Sowjets müsse in neuen Salt-Verhandlungen eingegrenzt werden. Als das im Washington Carters nicht verfing, zog er 1977 die Notbremse und verlangte Nachrüstung der NATO. Das Ziel war, sowjetische Machtprojektion aufzufangen, und die weiter greifenden politischen Motive waren dabei sichtbar stärker als die engeren militärischen Sachzwänge.

Seit Januar 1984 bemüht sich, sehr bescheiden, die Stockholmer Nachfolge-Konferenz zu Helsinki um Sicherheit durch vertrauenbildende Maßnahmen. Die sowjetische Manöverstrategie soll unter ein Regime von Höchstzahlen, Mindestabständen und Voranmeldungen gestellt werden. Davon will die Sowjetunion nichts wissen. Sie nutzt die Propaganda-Wunderwaffe des umfassenden Gewaltverzichts und des nuklearen »no first use«. Das hört sich schön an, gibt aber mangels Überprüfungen und Sanktionen der sowjetischen Politik freies Spiel. So wie es im Zeitalter des Weltbürgerkriegs keine Friedensschlüsse mehr gibt, so wird im Zeitalter der nuklearen Parität durch Machtpoker und Verhandlungen über Sieg oder Niederlage entschieden. Die Gefahr liegt in beidem: in der Illusion des Sieges und in der Illusion der Harmlosigkeit.

Wer den Krieg als Gegenteil von Frieden denkt oder wie gebannt auf den nuklearen »Holocaust« schaut, befindet sich nicht auf der Höhe des Problems. Er ignoriert die Erfahrung der nuklearen Parität seit 20 Jahren, daß die einzige Alternative zu gemeinsamem Untergang das abgestimmte Krisen- und Konfliktmanagement bleibt: Das ist der logische Kern der Idee gemeinsamer Sicherheit. Er verfehlt aber auch die strategische Realität, in deren Brennpunkt die Bundesrepublik Deutschland gestellt ist. Sie erfordert von den Politikern einen Minimalkonsens über die Sicherheit und ihre Bedrohung, militärische Bestandsgarantien durch das Bündnis und moralische Unerschrockenheit von Wählern und Gewählten – in einem Wort: einen wachen und intelligenten Patriotismus.

25. Frieden im ideologischen Zeitalter

Der Friede von Münster und Osnabrück beschloß 1648 den Dreißigjährigen Krieg, die große Katastrophe des neuzeitlichen Deutschland. Mit Glockenläuten und Gottesdienst wurde der Friede landauf, landab gefeiert: auf 150 Jahre eine Daseinsordnung Mitteleuropas. Der Wiener Kongreß hat 1814/15 noch einmal ähnliches unternommen. Durch alle politischen und sozialen Umbrüche, die ihm folgten, hat das europäische System bis zum Ersten Weltkrieg gehalten.

Die Pariser Friedensverträge von 1919 indes, so maßlos wie irreal, verdienten ihren Namen nicht mehr. Und 1945 ging der Sieg über das Deutsche Reich unvermittelt und fast unausweichlich über in den Kalten Krieg um Deutschland. Denn Lenins Erben wußten, was der Westen noch zu lernen hatte: Wer Deutschland besitzt, hält den Schlüssel Europas. Warum aber ging unserer Zeit die Kunst des Friedenschließens verloren?

Friedrich Nietzsche, der düstere Prophet, sagte vor hundert Jahren, die Kriege des 20. Jahrhunderts würden geführt werden im Namen rivalisierender Weltanschauungen, Kreuzzüge ohne Kreuz und ohne Frieden. Der Erste Weltkrieg eröffnete das Zeitalter der Ideologien. Mission stand gegen Mission, Macht gegen Macht.

Im Jahr 1917 aber wurde ein neuer Weltzustand ins Leben gerufen durch die amerikanische Intervention im Westen und die bolschewistische Revolution im Osten. An der Jahreswende 1917/18 probten Sowjets und Amerikaner zum ersten Mal die große, die globale Auseinandersetzung um den Frieden und die Macht: Wer würde die Erde erben? Lenins Telegramm »An alle« verhieß Weltfrieden durch Weltrevolution; die »Vierzehn Punkte« des amerikanischen Präsidenten Wilson versprachen den Völkern Frieden durch Demokratie und Freihandel.

Rußlands Bürgerkrieg und Amerikas Rückzug gaben den Europäern damals noch eine unerwartete Chance des Ausgleichs, der Vernunft und der weltpolitischen Rolle. Aber 1919 kam der haßerfüllte Frieden dazwischen und 1929 die Weltwirtschaftskrise. Dann führte Hitler in seinem Krieg die beiden Weltantagonisten zusammen und am Ende, als das Erbe des Deutschen Reiches zur Verteilung kam, von jenseits des Grabes sogar noch gegeneinander.

Im Zeitalter der Ideologien kann das Versprechen des Friedens selbst Ideologie werden – und damit Waffe. Die Entwicklung der Atombombe und der Strategie hält indes den großen Krieg in der Schwebe. Die nuklearen Waffen dementierten bisher ihren furchtbaren Ruf, indem ihre Parität das erzwang, was es in der Geschichte niemals gab oder nur ansatzweise: ein unerklärtes bipolares Sicherheitssystem.

Aber das Zeitalter der Ideologien endete nicht, als der Krieg nicht mehr führbar wurde. Im Gegenteil, mehr als zuvor wurden die Ideologien Waffen des Ersatzkriegs. Die Sowjet-Formel der »friedlichen Koexistenz« bei verschärftem ideologischem Kampf gegen die Demokratien antwortete auf diese Lage und verdeutlicht ihre Dialektik. Die Prämie des Sieges liegt nicht, wie früher, auf der Eroberung von Festungen, sondern sie wird dem zuteil, der Macht gewinnt über Angst und Hoffnung der Menschen. So wird die militärische Machtprojektion der Sowjetunion durch ideologische Belagerung ergänzt, und die offenen Gesellschaften des Westens bieten dem Angriff viele Chancen.

In Deutschland verbinden sich als Erbteil der Geschichte wie als Reaktion auf die Lage des geteilten Landes, heute mehr als zuvor, Identitätssuche und Fluchtinstinkt, Wundschmerz der Teilung und Abneigung gegen die Schlüsselrolle, die die Bundesrepublik für die Sicherheit des Westens zu spielen hat. Die Sicherung des Friedens in Freiheit ist die höchste moralische und politische Anstrengung wert. Aber es gilt eben auch die schwierige Einsicht, daß im Zeichen der großen Friedenssehnsucht die Grundlagen verspielt werden können, auf denen die Stabilität des gegenwärtigen Weltsystems ruht, und damit die Verhinderung des Krieges.

Denn es gibt Erfahrungen aus den zurückliegenden vier Jahrzehnten, die die Deutschen nur unter Verlust der bürgerlichen Freiheit in den Wind schlagen können: Wo aber die Freiheit fällt, da muß der Friede nach. Zu solchen Erfahrungen zählt, daß ohne Gleichgewicht, welches den Preis des Machtmißbrauchs unerträglich hoch setzt, Stabilität nicht existiert; daß Leerräume und Zonen strategischer Unterlegenheit den Horror vacui provozieren, den die Natur hat und leider auch die Machtpolitik; daß Beschwichtigung der Diktatoren ohne solide Geschäftsgrundlage jenen Appetit weckt, der beim Essen kommt.

In einem Wort, Frieden im ideologischen Zeitalter kommt nicht aus Herzensgüte und Wunschdenken. Immerwährendes pfäffisches Gerede dient ihm so wenig wie die Parallelaktion, die Regierung und Bündnis rechts liegenläßt. Der Zustand der Sicherheit, dessen sich die Bundesrepublik – neuerdings eher unfroh – erfreut, braucht für seine Dauer kaltblütiges und verantwortliches Machtmanagement im westlichen Bündnis, eingeschlossen die Anstrengung der ausgewogenen Vertrauensbildung nach Osten.

Ob die Deutschen in Zukunft dafür Beherztheit und Mut aufbringen, entscheidet nicht nur über das Schicksal der Bundesrepublik, sondern auch über die Zukunft Europas und des westlichen Bündnisses: Auch dies ist Teil der Deutschen Frage und gehört zu jener Verantwortung, die aus der Geschichte kommt. Man kann diese Lehre in den Wind schlagen – aber nur einmal.

26. Die Sicherheit versichern

Im Winter 1985/86 hatte die Bundesregierung weittragende finanzielle Entscheidungen zu formulieren über europäische Hochtechnologie und insbesondere die deutsche Beteiligung an der Raumfahrttechnik.

Die europäischen Industriestaaten beginnen, eine Leiter an den Himmel zu stellen. Sie tun dies miteinander und mit Hilfe der Vereinigten Staaten. Die D1-Mission, deutsches Raumlabor mit amerikanischer Raumfähre gekoppelt, erinnerte unlängst an die Effizienz der europäischen Anstrengung. Mit dem Raumlabor, der Ariane-Reihe, dem Columbus-Projekt, den Plänen für die Hermes-Raumfähre und der Perspektive auf den Allwetter-Beobachtungssatelliten werden Umrisse eines europäischen Weltraum-Systems sichtbar. Es stellt sich aber die Frage, ob die Politik der Europäer auf der Höhe der europäischen Technik ist.

Das Gewicht Europas bemaß sich seit der Katastrophe des Zweiten Weltkriegs und der Entstehung des bipolaren Weltsystems vor allem nach der Schlüsselrolle der Europäer im Ost-West-Konflikt und nach der Bedeutung der atlantischen Gegenküste für die Sicherheit der Vereinigten Staaten. Heute und in Zukunft bemißt sich unser Gewicht immer mehr danach, ob

Europa für die Technologie Zentrum bleibt oder Provinz wird und ob es gelingt, für den »espace technologique« Europa politische Identität, Entscheidungsfähigkeit und Verhandlungsmacht zu gewinnen. Niemand kann die Europäer daran hindern – außer sie selbst –, die wahrhaft historische Dimension dieser Aufgabe zu begreifen. Die technisch-wissenschaftliche Leistung ist nicht allein elementare Voraussetzung für Wirtschaftskraft und sozialen Frieden. In ihr liegt auch eine Versicherung unserer Sicherheit.

Denn die Vereinigten Staaten sind Großmacht in jeder Dimension. Die Sowjetunion ist eine Zweidrittel-Großmacht. Nach Fläche, Bevölkerung, Rohstoffen, Militärpotential und Sendungsglauben ist sie eine Großmacht. In der Rüstungs-Technologie leistet sie – leider – Gewaltiges. Aber darüber hinaus? Die zivile Forschung ist nicht auf pari. Es fehlt vor allem die Interaktion zwischen militärischem und zivilem Sektor. Um Supermacht zu bleiben, muß die Sowjetunion einen Forschungsspurt vornehmen, der ihre Wirtschaftsbürokratie erschüttert und ihre ideologische Führungsstruktur bedroht. Oder sie muß sich Ersatz schaffen. Dieser Ersatz aber kann nur Westeuropa oder Japan heißen.

Der fortdauernde Ost-West-Konflikt gibt auf diese Weise dem europäischen Forschungspotential für die Zukunft weltpolitische Bedeutung. Dies nicht nur als Innovationsmaschine und Wachstumsspender der Industriewirtschaft, sondern als Machtfaktor im großen Kräftegleichgewicht und als strategische Versicherungspolice. Ein Europa der Hochtechnologie kann für Amerika niemals zur Disposition stehen. Isolationistische Versuchungen und Strategien mit Entkoppelungseffekt sind in Washington undenkbar, wenn die Europäer ihre technischen Fähigkeiten politisch zu bündeln wissen. Das Ganze ist für Technik, Wissenschaft und Wirtschaft stets mehr als die Summe der Teile. Europäische Forschungs- und Technologiepolitik, die diesen Namen verdient, muß begreifen, daß sie jene Fakten schafft oder verfehlt, die zuletzt die Sicherheit bestimmen.

Nicht nur die europäische Unverbindlichkeit vis-à-vis der SDI-Forschung muß in diesem Licht überprüft werden. Auch

Eureka muß ernster genommen und politisch genutzt werden – über die Förderung dessen hinaus, was die interessierten Industrien aus eigenem ohnehin zu leisten haben. Die deutsch-französische Kooperation hat eine sicherheitspolitisch wichtige Komponente, sie war bisher erfolgreich und hat weit über den militärischen Bereich hinaus Leistungen zustande gebracht. Ohne hegemonialen Ehrgeiz muß sie Motor jenes technologischen Europa sein, ohne das eine weltpolitische Rolle Europas undenkbar bleibt. Auch die Zusammenarbeit mit Großbritannien und Italien hat sich bewährt.

Aber alles dies stößt vielfach an finanzielle Grenzen. Sie müssen erweitert werden. Die Bundesrepublik hat dank disziplinierter Finanzpolitik wieder Spielraum gewonnen. Es gilt, ihn europapolitisch und sicherheitspolitisch zu nutzen. Denn europäische Technologiepolitik gehört zu den Bedingungen von Sicherheit und Verhandlungsgewicht in Strategie und Ökonomie der Welt von morgen.

Dabei muß europäische Technologiepolitik auch in Zukunft alles vermeiden, was Entkoppelung von der amerikanischen Forschung begünstigt und damit langfristig politischer Distanz vorarbeitet. Die Geometrie, die für Bonns gesamte Außenpolitik immer galt und immer gelten wird, gilt auch für die deutsche Technologiepolitik. *Menage à trois* ist ihre wichtigste Spielregel.

Die Bundesrepublik hat ein politisches Lebensinteresse an europäischer Spitzentechnologie. Aber das gleiche Lebensinteresse zwingt dazu, die Koppelung an die Vereinigten Staaten zu sichern. Die Gründe liegen in beidem, der technischen Leistung der Amerikaner wie in ihrer Garantierolle für Europa. Deshalb darf man sich in Bonn nicht drängen lassen in eine Position des Wählenmüssens. Das war immer falsch und ist es auch heute, und es liegt auch nicht im aufgeklärten französischen Selbstinteresse. So wichtig es ist, noch vor den Parlamentswahlen des März 1986 in Frankreich weitere Weichen zu stellen, so wichtig bleibt es auch, europäisch und atlantisch zugleich zu denken und zu handeln.

Dies ist Staatsräson der Republik, es ist die Lehre der deutsch-französischen Ungewißheiten im Zeichen des Gaullismus, und es ist die Erfahrung der amerikanisch-europäischen Allianz. Nur wenn sie diesen Erfordernissen der Sicherheit Rechnung trägt, ist die europäische Politik auch auf der Höhe der europäischen Technik.

27. Unerwünschte Optionen

Raymond Aron sagte einmal, wichtiger als die Kenntnis der Geheimakten sei das Studium der Geschichte und Kultur der Völker. Die weitreichende politische Bedeutung der »Strategischen Verteidigungsinitiative« liegt in der Hoffnung auf Wiederherstellung des amerikanischen Traums der Unverwundbarkeit und der Souveränität im Nuklearzeitalter.

Wenn die N-Waffen nicht abschaffbar sind, so hoffen die SDI-Protagonisten, dann sollten sie doch überwunden werden. In dem durch amerikanische »extended deterrence« gesicherten Europa kann das Ergebnis nur eines sein: Gemischte Gefühle.

Im Jahr 1980 erschien in einem wenig bekannten Verlag in Chicago das Buch eines wenig bekannten Kaliforniers: »Survival and Peace in the Nuclear Age« von Lawrence Beilenson. Es wurde erst bemerkt, als Präsident Reagan am 27. Mai 1981 in einer Programmrede an der Offiziersakademie West Point den Autor »meinen guten Freund« nannte und seinen Meinungen beizupflichten schien.

Um was geht es? Beilenson, der 1969 ein Buch mit dem sprechenden Titel »Die Falle der Verträge« geschrieben hatte, beklagte nun, daß die amerikanische Weisheit den Westdeutschen von Anfang an nukleare Waffen versagt habe. Die Vereinigten Staaten seien deshalb gezwungen, die Lücke zwischen dem deutschen Potential und der Sicherheit Westeuropas durch eigenen nuklearen Schutz zu füllen. Dadurch aber werde der nordamerikanische Kontinent zum »Magneten eines sowjetischen Erstschlags«. Beilenson meldete sogar Zweifel an der Politik der Non-Proliferation an, denn sie sei verbunden mit der Bestätigung der amerikanischen Nukleargarantie für Europa und insbesondere für die Deutschen.

Nun sprechen überwältigende Gründe heute und in Zukunft dafür, an dem Adenauer-Verzicht auf Nuklearwaffen nicht zu rühren. Er gehört zu den Mitteln, die amerikanische Präsenz in Europa zu erhalten. Ihre Qualität und Quantität wäre durch nichts zu ersetzen. Bietet aber die Strategische Verteidigungsinitiative den Vereinigten Staaten einen anderen Weg?

In dem Buch des Präsidenten-Freundes fand ein amerikanischer Alptraum seinen Ausdruck und mit ihm auch ein amerikanischer Traum: sich niemals in die Fessel der Bündnisse zu begeben. Insbesondere in der Bundesrepublik wird seit langem die Grundströmung unterschätzt, die da zum Ausdruck kam und kommt. Es ist die Vision der Festung Amerika, die die Weite der umgebenden Ozeane in jene Sicherheitsmarge umsetzt, deren Verlust Präsident Reagan damals in West Point beklagte.

Amerikas Führungsrolle in der westlichen Hemisphäre ist alt, die globale Führungsrolle aber ist jung. Sie begann im Ersten Weltkrieg 1917, erzwang 1918 die Entscheidung und endete bereits wieder 1920. Was seit 1923 neuerlich gegeben wurde, waren politische Unterstützung für Westeuropa und wirtschaftliche Stabilisierung für die Weimarer Republik. Beides ging indessen nach kurzer Dauer im Chaos der Weltwirtschaftskrise unter. Und das japanische Ausgreifen gegen das chinesische Festland setzte 1931/32 neue Prioritäten im Pazifik. Erst angesichts des nahenden Weltkrieges rückte Europa wieder ins Blickfeld der Vereinigten Staaten. Während des Krieges indessen blieb die Vorstellung, die Vereinigten Staaten könnten und müßten fortan in Europa bleiben, so fremd und fern wie zwanzig Jahre zuvor. Noch auf der Jalta-Konferenz 1945 sprach Roosevelt davon, binnen zwei Jahren alle amerikanischen Truppen aus Europa abzuziehen – und Stalin verstand dies als Hinnahme sowjetischer Kontinentalherrschaft.

Es waren die Sowjetisierung des östlichen Mitteleuropa und der Kalte Krieg, welche die Vereinigten Staaten in die europäische Garantierolle und in dauernde militärische Präsenz in der

Alten Welt zwangen. Für diese Präsenz der Vereinigten Staaten an der atlantischen Gegenküste hatte die Bundesrepublik von ihren Anfängen bis heute eine Schlüsselfunktion. Sie vergrößerte sich noch, als Präsident de Gaulle den amerikanischen Streitkräften zum 1. Juli 1966 die Tür wies.

Bis in die sechziger Jahre blieben die Vereinigten Staaten unverwundbar. 1962 versuchten die Sowjets, durch Raketenaufstellung auf Kuba diesen Zustand zu ändern. Die amerikanische Gegenwehr unter Präsident Kennedy ging bis an den Rand des Krieges. Wenig später indes hat die Parität nuklearer Interkontinentalraketen Amerikas strategische Lage dann doch revolutioniert. »Wechselseitig gesicherte Zerstörung« brachte damals neue strategische Stabilität und erzwang die Entspannung als Modus operandi des großen Konflikts. Aber die Entspannung war verbunden mit der bitteren Erkenntnis, daß die Vereinigten Staaten Teil eines strategischen Weltsystems geworden waren, dessen Regeln und Risiken nicht mehr von außen zu bestimmen waren.

In der Strategischen Verteidigungsinitiative, die seit 1983 eine Reihe von längst laufenden Forschungsprojekten politisch bündelt, liegen Versuchung und Versprechen, jene Souveränität und Unverwundbarkeit wiederherzustellen, die den Vereinigten Staaten im 20. Jahrhundert verlorengingen: Amerika wieder zu einer Insel zu machen. Die technologische Vision, der Zwang der wachsenden Haushaltsdefizite und der amerikanische Traum vom unverwundbaren Reduit zwischen den Ozeanen können sich verbinden. Das Bündnis mit den Europäern würde dann in der Tat einem »agonizing reappraisal« ausgesetzt, das alles in den Schatten stellen würde, was Kennedy seinerzeit versprach. Führung, Garantierolle und Lastenverteilung müßten sich gründlich ändern.

Noch ist es nicht soweit: Aber spätestens dann, wenn SDI die strategische Gleichung zu verändern verspricht, wird sich die Tagesordnung ändern, und es wird dabei nicht um den Modus europäischer Sicherheit gehen, sondern um ihre Substanz. Dann braucht Westeuropa eine strategische Identität und wird, wohl oder übel, der »zweite Pfeiler« des atlantischen Bündnisses sein müssen. Das alles wird nicht gehen ohne Führung, Nervenstärke und einige andere knappe Güter. Die anderen Wege sind weder zahlreich noch anziehend.

28. Abkoppelung: Thema mit Variationen

Die beginnende Ära Gorbatschow ließ neue Flexibilität des Kreml bei der Rüstungskontrolle erkennen. War das aber für Westeuropa unbesehen ein Gewinn? Würde es den Europäern gelingen, aus der Rüstungskontrolle ein Mehr an Sicherheit zu gewinnen? Bis zur definitiven Antwort auf diese Frage hat das Wort zu gelten: »Timeo Danaos et dona ferentes.«

Was Westeuropa und die Vereinigten Staaten verbindet, sind ein Ozean und die freiheitliche Demokratie. Was Westeuropa und das Sowjetimperium trennt, sind eine gedachte Linie und die leninistische Diktatur. Hinter allen Bindungen des atlantischen Systems steht letztlich das Versicherungssystem der erweiterten Abschreckung. »Extended deterrence« soll durch nukleare Garantie für die Europäer die Weite des Atlantiks überwinden. Auf der europäischen Gegenküste sind die amerikanischen Soldaten beides, Unterpfand für die Westeuropäer und Warnung an die Sowjets, daß Amerika es ernst meint.

Abkoppelung bedeutet, den amerikanischen Nuklearschirm wegzuschieben oder die GIs auf das Meer zu drängen. Zu den Mitteln gehörten immer sowjetische Machtprojektion oder deutsches Ressentiment und neuerdings eine Mischung aus beidem: nuklearer Druck, konventionelle Übermacht und Einschüchterungsmanöver auf der einen Seite; auf der anderen die moralisierende Arroganz der Ohnmacht, antikapitalistische Sehnsucht, pazifistische Weltfremdheit und die Versuchung vorgreifender Kapitulation.

Stalins Abkoppelungspolitik scheiterte zweimal. Das erstemal 1948, als er mit chirugischer Präzision die erste Berlin-Krise herbeiführte und die Westsektoren blockierte. Das

zweitemal 1952, als er, um Westeuropas Einigung unter amerikanischem Schirm zu durchkreuzen, von deutscher Einheit
sprach, von Wahlen, deren Freiheit der Kreml sich vorbehielt,
und von einer Sicherheit, über die die Sowjetunion Richter sein
würde. 1958/1961 folgte der Versuch, die DDR zu konsolidieren, Berlin zu kassieren, Westeuropa zu demoralisieren und die
Vereinigten Staaten zu verdrängen. Die Entspannung begann,
als die Sowjetunion den Status quo hinnahm. Und sie wurde
zerrüttet, als Stalins Erben vor zehn Jahren, während die Amerikaner über Salt II verhandelten und auf Salt III hofften, gegen
Westeuropa SS-20-Raketen aufbauten. Das neue Ziel war das
alte: Abkoppelung.

Die NATO brauchte damals beides, nukleare Trägerwaffen
mittlerer Reichweite, um die Abschreckung zu modernisieren,
und die Bestätigung der amerikanischen Garantie. Der NATO-
Doppelbeschluß von 1979 wollte Abrüstung im Osten oder
Nachrüstung im Westen. Die Sowjets meinten, sie selbst könnten alles behalten, der deutsche Protest aber werde die NATO-
Position von innen zerstören.

Die Rechnung ging nicht auf, die Nachrüstung folgte. Zu ihrem Preis zählen der Aufstieg der Grünen, die Krise der SPD
und der Zerfall des Sicherheitskonsensus. Zum Gewinn gehört,
daß die erweiterte Abschreckung erneuert wurde, während
Nachrüstung und SDI die Russen an den Verhandlungstisch
zurückbrachten. Nach wie vor hängt wirksame Waffenredu-
zierung indessen auch davon ab, daß die Bundesrepublik berechenbar bleibt. Denn es geht in Genf wiederum um beides:
Rüstungsreduzierung, woran die Vereinigten Staaten aus
finanzieller, die Sowjets aus wirtschaftlicher Überforderung
Interesse haben müssen, und daneben um Abkoppelung. Die
sowjetische Politik in Genf richtet sich mithin auf wider-
sprüchliche Ziele, und dies kann zum Scheitern auch dieser
Verhandlungen führen.

Man will die SDI-Forschung der Amerikaner lahmlegen und
durch die Utopie der Welt ohne Nuklearwaffen die Europäer
gegen SDI aufbringen und die nichtnuklearen gegen die nuklearen Europäer mobilisieren. Man will die Nachrüstung nul-
lifizieren, ohne die eigenen Mittelstreckenraketen vollständig

zu opfern. Oder man will durch Beseitigung aller Mittelstrek-kenwaffen – die Verifikation bleibt undurchsichtig – ohne gleichlaufenden konventionellen Abbau das sowjetische Über-gewicht in Europa durchsetzen.

Dies sind Maximalziele am Eingang. Sollten sie auch am Ausgang stehen, so würden die Verhandlungen ein böses Ende nehmen oder aber die NATO. Allein das von den Amerikanern vorgeschlagene Zwischenabkommen – Parität bei landgestütz-ten Flugkörpern mittlerer Reichweite – bietet die Chance, die Zahlen zu verringern, Stabilität zu wahren und Abkoppelung zu verhindern.

Auf mehreren Schachbrettern wird diese Partie gespielt, tech-nisch und strategisch, politisch und psychologisch, und sie sind alle ineinander verkeilt. Wenn das Ziel allein Rüstungskontrolle wäre, so wäre der Erfolg zu haben. Aber der Kreml will auch strategische und psychologische Abkoppelung, damit ungleiche Sicherheit und Erosion der NATO. Diese Doppeldeutigkeit steht dem Erfolg im Wege, solange die Sowjets rechnen, die Westeuropäer, voran die Deutschen, würden die Nerven verlie-ren. Das ist die historische Ironie des deutschen Pazifismus, sein Widerspruch und seine destabilisierende Wirkung.

Hinter allen Schachzügen in Genf geht es um den alten Veto-anspruch der Sowjets gegen die amerikanische Garantie für die Westeuropäer. Die Eskalationskette zu unterbrechen ist nur der erste Schritt. Für Folgeverhandlungen wäre dann der Rah-men gesetzt. Die politische Wirkung wäre unumkehrbar, Ab-koppelung das Ergebnis.

Dieses System sowjetischen Drucks und amerikanisch-euro-päischen Gegendrucks ist so alt wie das atlantische System, in dem wir bis heute leben. Abschreckung und Ankoppelung sind dessen Bedingung. Ohne diese Voraussetzung wäre es nicht entstanden, hätte es die Bundesrepublik Deutschland und ein freies, verbündetes Westeuropa niemals gegeben. Und sollte einmal dieses atlantische Gefüge, statt sich zu wandeln, durch amerikanischen Rückzug, sowjetisches Übergewicht oder deutsche Verblendung zusammenbrechen – dann wären wohl die Tage der deutschen Demokratie gezählt und mit ihr die des freien Europa.

29. Nach der Entspannung: Zeit für Bilanzen

Angesichts des bevorstehenden Mittelstreckenabkommens und seiner Wirkung auf die Architektur westeuropäischer Sicherheit stellte sich bald die Frage, wie in Zukunft »deterrence« und »reassurance« wieder ins Gleichgewicht treten sollten.

Vor vierzig Jahren begann der Kalte Krieg. Vor zwanzig Jahren wurde er durch Entspannung moderiert. Aber der Antagonismus zwischen Demokratie und Diktatur ist geblieben und ebenso der Zwang, ihn zu überbrücken. Jenseits von Kaltem Krieg und jenseits der Détente: Was muß heute die Bilanz der europäisch-atlantischen Sicherheit bestimmen?

Die erste Bilanz der NATO war der Vertrag, der sie 1949 begründete. Die Politik war globalisiert, Europa geteilt, und die Austragung des Konflikts rückte unter das nukleare Kriegsverbot. Stunde der Wahrheit für den Westen wurde 1948/49 die Blockade Berlins. Denn im mitteleuropäischen Brennpunkt des Kalten Krieges stand die Erbfolge des Deutschen Reiches. In diesem Zeichen entstand die NATO.

Achtzehn Jahre später formulierte der Harmel-Bericht Ziele und Wege der Entspannung. Auf der Basis gesicherter Verteidigungsfähigkeit sollten Rüstungskontrolle und Vertrauensbildung gesucht werden. Zwischen NATO-Vertrag und Harmel-Bericht war die Bundesrepublik in das westliche Bündnis eingefügt worden und zur Wirtschaftsmacht aufgestiegen. Gleichzeitig hatten Wasserstoffbombe, Sputnik und Interkontinentalraketen der Sowjetunion Parität mit den USA verschafft. Die NATO-Strategie ging von »massiver Vergeltung« zu »flexibler Antwort« über.

Mehrfach hatte Krieg gedroht: als der deutsche Aufstand 1953 und die ungarische Tragödie 1956 das Sowjetimperium erschütterten und als Stalins Erben die zweite Berlin-Krise und die kubanische Raketenkrise inszenierten. Der heiße Draht zwischen Washington und Moskau und der Vertrag über den Verzicht auf nukleare Tests in der Atmosphäre setzten seit 1963 einen neuen Modus des Konflikts in Gang: Détente. Den letzten Anstoß für die NATO-Eröffnungsbilanz im Zeichen der Entspannung gab General de Gaulle, der Frankreich 1966 eine Sonderrolle zuwies, gestützt vor allem auf die nukleare »Force de frappe«.

Aber dem Aufstieg der Détente folgte ihr Verfall. Der Aufstieg war gekennzeichnet durch den Nonproliferation-Vertrag, Rüstungsbegrenzung (Salt I) und das Scheitern der Weltmächte bei der Raketenabwehr, das im ABM-Vertrag rationalisiert wurde. Mitteleuropäisches Konfliktmanagement fand im Berliner Viermächtevertrag 1971 und im deutschen Grundlagenvertrag 1972 seine Form.

Aber Amerika litt unter Vietnam und Watergate, und die Russen spielten das große Spiel nach Regeln, die dem Westen die Bescheidenheit zuteilten, dem Osten den Appetit. Dem Aufbau der sowjetischen Schlachtflotte folgte die weitgespannte Afrika-Politik. Seit 1976 sollten die SS-20-Raketen die Bundesrepublik ins Schwanken bringen. Konnte die Entspannung die Sowjet-Besetzung Afghanistans überleben und die Unterdrückung der polnischen »Solidarität«? Die Frage teilte den Westen. Parallel zerbröselte der Helsinki-Prozeß, der der deutschen Ostpolitik den großen Rahmen hatte leihen sollen. Erst die Nachrüstung der NATO und die Zusammenfassung der Raketenabwehrforschung durch SDI gewannen dem Westen die Initiative zurück.

Aber hat der Westen eine abgestimmte große Strategie? Verfügt er über die Bilanz seiner Interessen? Über ein Bild der psychologischen und gesellschaftlichen Faktoren, von denen Sicherheitspolitik zuletzt abhängt? Die Gehäuse der Nachkriegszeit umgeben uns noch immer. Aber sie altern ebenso wie die psychologischen und politischen Bedingungen, unter denen sie entstanden. Doch auch die Détente samt ihren unklaren Spielregeln ist Vergangenheit. So ist es an der Zeit, angesichts neuer Bedrohungen und veränderter Gleichgewichte wiederum, wie 1949 und 1967, Bilanz zu ziehen. Dafür aber zählen nicht allein der makabre Fortschritt der Waffentechnik, sondern auch die Störung des Sozialvertrags in den westlichen Wohlfahrtsstaaten und die Belastung der Weltwirtschaft durch die Ölschocks, der tiefe Generations- und Wertewandel im Westen und die langsamen Wandlungen im Osten.

»Eindämmung der sowjetischen Ausdehnungsbestrebungen« (George F. Kennan) bleibt heute wie vor vierzig Jahren Grundlage der Sicherheit. Es gibt nicht die Wahl, die manche in der Bundesrepublik erträumen, zwischen dem atlantischen Bündnis und der »Europäisierung Europas«. Erweiterte Abschreckung von jenseits des Atlantiks wird noch lange gebraucht, samt ihrer Verankerung auf europäischem Boden durch die amerikanischen Soldaten und deren Familien. Jenseits davon aber muß die Strategie durchdacht werden. Sie muß wieder operabel sein. Nur dann ist das Gleichgewicht stabil.

Endlich und vor allem: Die Europäer werden von teuren Illusionen Abschied nehmen müssen. Europa braucht eine variable Geometrie, um vom Klienten Amerikas zum weltpolitischen Partner zu werden. Dazu gehört verantwortliches Machtmanagement anstelle der Arroganz der Ohnmacht und der Rationalisierung eigener Schwäche: Europäische Hochtechnologie, der freie Markt, die gemeinsame Währung sind die Mittel und auch ein wirksames Parlament.

Die Bilanz wird auch die neuen Ungleichgewichte der Welt jenseits des Ost-West-Konflikts einzubeziehen haben. Der Krieg von niedriger Intensität gegen die industriellen Demokratien, dessen Form Terrorismus ist, erfordert eine kaltblütige Antwort. Interessen und Gefahren weisen über das einst abgesteckte NATO-Gebiet hinaus. Eine europäische Ostpolitik, welche die Verantwortung für die Menschen im östlichen Mitteleuropa nicht vergißt, muß ebenso Teil der Bilanz sein wie zähe und nervenstarke Rüstungskontrolle.

30. Strategie mit anderen Mitteln

Das alte Wort Abrüstung aus der Zwischenkriegszeit wurde im nuklearen Zeitalter durch das bescheidenere und realistischere Wort Rüstungskontrolle ersetzt. Wo liegen deren Chancen, wo die Grenzen und wo die Gefahren?

Die wichtigste Erkenntnis des Generals von Clausewitz war auch seine doppeldeutigste: Der Krieg sei »eine Fortsetzung des politischen Verkehrs, ein Durchführen desselben mit anderen Mitteln«. Vor Reykjavik wußten die Europäer, daß Rüstungskontrolle die andere Schiene der Sicherheitspolitik ist. Nach Reykjavik müssen sie begreifen, daß sie auch Fortsetzung der Strategie sein kann mit anderen Mitteln.

Es geht um beides, die Sicherheit der Weltmächte und die Bestimmung Europas. Alle Rüstungskontrolle ist hier und heute daran zu messen, ob sie mehr Sicherheit bringt oder weniger. Lebensfrage bleibt, daß die nuklear abgestützte Pax Atlantica hält. Anderenfalls erhält »unser europäisches Haus«, wie Gorbatschow vieldeutig sagt, vom Kreml die Hausordnung. Abrüstung ist ein Ziel jenseits des politischen Zweifels: Diesseits aber liegen Kohäsion und Methode, Reichweite und Preis. Hier haben die Europäer vitale Interessen. Entsprechen dem aber Gewicht und Konsequenz? Am Ende werden wir die Amerikaner haben, die wir verdienen, und ein Europa nach dem Maß unserer Einsicht.

Das nukleare System der Nachkriegsepoche bestimmt noch immer die Verfassung der Weltpolitik. Im ersten Jahrzehnt war es bestimmt vom Monopol der Vereinigten Staaten, seither durch Parität und »rough balance«, die Übermacht der Raketenwaffen über jede Verteidigung und die abstrakten Ketten der Eskalation.

Die ersten Abkommen zur Rüstungskontrolle entstanden aus dem Schrecken der Berlin- und der Kuba-Krise. Die Salt-Verträge einschließlich des Raketenabwehrvertrages (ABM) kamen bereits aus Erfahrung gemeinsamer Interessen und Annäherung der strategischen Philosophie. Heute gibt es einen Umbruch ungewissen Ausgangs: neue Stabilität und Entspannung oder Wettlauf der Rüstungen offensiver und defensiver Art. Drei Entwicklungslinien kreuzen einander.

Zum ersten: Das nukleare System wird an seinen Rändern technisch unscharf. Daraus können Unberechenbarkeit und Instabilität entstehen. Das gilt nicht nur für die Strategische Verteidigungsinitiative (SDI) und den sowjetischen Griff nach dem Weltraum, dessen Technik keinen Vergleich zu scheuen hat. Es gilt auch für sogenannte »smart weapons« und die Präzision der neueren Mittelstreckenraketen. Ihre konventionelle Bestückung wird denkbar. Jene westliche Sicherheitsphilosophie, die auf Abdeckung konventioneller Verteidigung durch nukleare Abschreckung aufbaut, wird ungewiß.

Zum zweiten: Der amerikanische Forschungsspurt der letzten Jahre kommt aus Zweifeln an »mutual assured destruction« (gegenseitig gesicherte Zerstörung). Ist nukleare Abschreckung erträgliches und legitimes Mittel der Politik? Darf man das eigene Volk als Geisel nuklearen Wohlverhaltens stellen? Solche Vorbehalte vereinen insgeheim »Freeze«- und »Fortress America«-Denker mit den SDI-Protagonisten.

Ist jene Unverwundbarkeit wiederzugewinnen, welche die Weltmacht im Zeichen nuklearer Parität verlor? Und jene Souveränität, die am meisten eingeschränkt bleibt durch die Garantien für Europa? George Washingtons Warnung vor »entangling alliances« (verstrickende Bündnisse) ist unvergessen. In Zukunft soll SDI das Element der Verteidigung sein, Abschreckung durch »tiefe Schnitte« in den Bestand an ballistischen Raketen rationalisiert und vielleicht – auch das wurde in Reykjavik sichtbar – auf Cruise Missiles und Flugzeuge reduziert werden. Den Schrecken der Nuklearraketen zu bannen, durch Hochtechnologie oder Rüstungskontrolle oder beides, ist ein großes Ziel, aber mit den Raketen wäre wahrscheinlich auch das ihnen eigene absolute Kriegsverbot dahin.

Endlich hat Westeuropa es mit einer Sowjetunion in Bewegung zu tun. Das große Spiel um Europa wird heute nicht mehr – jedenfalls nicht mehr allein – nach den Regeln Peters und Katharinas gespielt und auch nicht mehr allein nach den Regeln

Stalins. Gorbatschow begreift, daß die Sowjetunion westliche Technologie braucht, soll sie nicht in ihrem Panzer erstarren. Die Nomenklatura aber ahnt, daß jene Innovation, die das sklerotische System nur mühsam hervorbringt, es auch bedroht. Westeuropa zu isolieren ist ein altes Ziel; es zum Zulieferer von Hochtechnologie zu machen, mit sanftem Druck oder mit unsanftem, ein neues. In Frankreich nennt man diese Variante, ungerecht gegen die Finnen, das »finnische Syndrom«.

In Reykjavik kamen die Weltmächte an einen Wendepunkt, doch unterließen sie die Wendung. Rüstungskontrolle beendet nicht das strategische Schachspiel, es findet nur nach anderen Regeln statt. England pflegt den insularen, Frankreich den strategischen, die Bundesrepublik den ökonomischen Egoismus. Zur strategischen Rüstungskontrolle vermag Europa gegenwärtig wenig mehr zu geben als einen ebenso besorgten wie vielstimmigen Kommentar.

Sicherheit und Rolle Westeuropas stehen auf dem Spiel, dessen Name Rüstungskontrolle ist. Objekt sein oder Mitspieler, wenn die Welt sich bewegt – darin entscheidet sich die politische Zukunft der Europäer und am meisten die der Deutschen. Noch immer gilt das Wort Raymond Arons: Krieg unwahrscheinlich – Friede unmöglich. Rüstungskontrolle ist jede Anstrengung wert. Aber sie wird nicht so bald Abschlagszahlung auf den ewigen Frieden, sondern bleibt – um Clausewitz abzuwandeln – Fortsetzung der Strategie mit anderen Mitteln.

31. Drei Null-Lösungen

Alle Null-Lösungen sind gleich, aber einige sind gleicher als andere. Keine vermag zur Zeit beides: Amerikaner und Sowjets zusammenzuführen *und* Amerikaner und Westeuropäer zusammenzuhalten.

Alle gegenwärtig zwischen Washington und Moskau gehandelten Null-Lösungen betreffen jenen marginalen Teil der Nukleararsenale, der als INF bezeichnet wird: Intermediate

Range Nuclear Forces = Mittelstreckenraketen. Es geht um die Missile des seit 1976 eingeführten Typs SS 20 auf der östlichen, Pershing II und Cruise Missiles auf der westlichen Seite. Die Frage, ob die sowjetischen Kurzstreckenraketen dazugehören (SRINF = Shorter Range INF), trennt Sowjets und Amerikaner weniger als die Westeuropäer untereinander und besonders die Deutschen. Diese Raketen hoher Präzision mit 500 km Reichweite bedrohen die Bundesrepublik Deutschland, Ostfrankreich und die Benelux-Staaten und dienen, wenn es keine Gegengewichte gibt, politischer Erpressung und psychologischer Einschüchterung. Drei Null-Lösungen sind, vereinfacht gesprochen, auszumachen.

Null-Lösung I war jene, die bald nach dem Doppelbeschluß von 1979 mehr Verhandlungsrichtung des Bündnisses als Verhandlungsziel wurde. Weder der Westen insgesamt noch die damalige Bundesregierung konnten darauf rechnen, es werde mehr als ein Kompromiß zwischen östlicher Rüstung und westlicher Nachrüstung entstehen. Am nächsten gelangten die Genfer Unterhändler Nitze und Kwisinski einem Quidproquo in der Waldspaziergangsformel von 1983. Sie ließ den Sowjets genug Systeme, um nukleare Machtprojektion auf Westeuropa zu richten. Dem Westen blieb genug, um die europäische Sicherheit an die amerikanische zu binden und von europäischem Boden aus den Angriff der Roten Armee einem unakzeptablen Risiko auszusetzen: Ankoppelung und Abschreckung waren auf niedrigem Niveau verbunden. Der Waldspaziergang indes endete in Washington und in Moskau, bevor er in Genf am Ziel angekommen war. Ende 1983 brachen die Sowjets die Verhandlungen ab. Mit SRINF ließen sie die Nach-Nachrüstung beginnen. Null-Lösung I, wenn sie je eine Chance hatte, war vorbei.

Null-Lösung II ist, was in der gegenwärtigen Verhandlungsrunde in Genf erreichbar erscheint und von den Auguren als wahrscheinlich ausgegeben wird: Abbau der Mittelstreckenwaffen vom Atlantik bis zum Ural, während jeweils 100 Träger in Sowjet-Asien und den Vereinigten Staaten bleiben. Ob dabei die Verifikation, d. h. wirksame Überprüfung, gesichert werden kann, bleibt vorerst offen. Doch bedarf die Frage, um bösen Überraschungen vorzubeugen, der Antwort. Noch wichtiger ist, was mit den Kurzstreckenraketen in der DDR und Tschechoslowakei geschieht. Schließt man das von Honecker so genannte »Teufelszeug« ein, so kommt wahrscheinlich kein Abkommen zustande. Schließt man es aus, so leidet die deutsche Sicherheit.

Damit kommt Null-Lösung III ins Blickfeld und mit ihr die Frage, was geschehen soll, wenn nach einem INF-Abkommen und den vorgesehenen weiteren sechs Monaten Verhandlung die Sowjets die SRINF lassen, wo sie sind: Soll die Bundesrepublik fortan in der politischen Schieflage leben, oder soll die NATO noch einmal nachrüsten? Die Lage erinnert in diesem Punkt an den Dezember 1977, als der damalige Bundeskanzler Schmidt die sowjetischen SS 20 als Bedrohung Europas identifizierte und den NATO-Doppelbeschluß vorbereitete. Die sowjetischen Kurzstreckenraketen setzen, wenn und sofern sie bleiben, die Bundesrepublik als Schlüsselland Westeuropas einer einzigartigen Bedrohung aus. Wenn die Nach-Verhandlungen scheitern, was leider in ihrer Logik liegt, dann wird man vielleicht vertragsgemäß entsprechende Systeme in der Bundesrepublik aufstellen können. Das aber würde die Deutschen doppelt singularisieren, zuerst durch die Bedrohung von außen und dann durch eine zweite Nachrüstungsdebatte. In diese Zwickmühle sollten die Regierungen in Bonn und Washington sich nicht freiwillig begeben.

Es gilt daher, den westeuropäischen Verbündeten und dem amerikanischen Verhandlungsführer die Gefahr der strategischen Schieflage klarzumachen. Deren psychologische, politische und militärische Folgen wären unumkehrbar. Einseitige Truppenverminderung, welche Strategen und Haushaltspolitiker in Washington wieder fasziniert, würde solche Folgen beschleunigen. Wer Entspannung will, darf die Analyse des Harmel-Berichts nicht vergessen, daß gesicherte Verteidigungsfähigkeit deren Grundlage ist. Daraus folgt heute, daß die Kurzstreckenraketen gleichzeitig und parallel mit den INF-Potentialen zu traktieren sind. Selbst dann bleiben von den Zwecken der Nachrüstung seit 1977 nur noch Reste.

Werden die Westeuropäer den Mut aufbringen, dies eine

Conditio sine qua non für Stabilität und Entspannung zu nennen? Man kann darauf verzichten, und vieles deutet an, daß es so gehen wird. Dann aber kauft man heute billig jene Entspannung, die man morgen mit neuer Spannung teuer bezahlt. Der Teufel steckt bekanntlich im Detail. Das Detail heißt gegenwärtig SRINF.

32. Ruhig nachdenken

Nukleare Sicherheit und Deutsche Frage: Würde das Mittelstreckenabkommen, dessen Umrisse sich seit dem Sommer 1987 abzeichneten, beides in Bezug setzen – und mit welchem Ergebnis?

Deutschland – aber wo liegt es? In den »Xenien« stellten 1796 Schiller und Goethe diese Frage. Die Antwort war niemals allein geographischer Natur. Die deutsche Ortsbestimmung war immer abhängig vom europäischen System und von dem Bild, das sich die Deutschen darin von ihrer Bestimmung machten. Heute ist der Bonner Politik, den europäischen Nachbarn und den Amerikanern aufgegeben, die Interdependenz von nuklearer Sicherheit und Deutscher Frage von neuem zu durchdenken und zu gestalten.

Bedeutung und Gewicht der nuklearen Waffen ändern sich, mit ihnen das europäische Gefüge und die deutsche Sicherheit. »Deterrence« und »reassurance«, Abschreckung und Sicherheitsgefühl, suchen seit einem Jahrzehnt ein neues Verhältnis. Wie dieses am Ende aussieht, stabil oder instabil, friedlich oder unfriedlich, westlich oder antiwestlich, davon hängt mehr ab als das Ergebnis der nächsten Wahlen zum Deutschen Bundestag. Wie die Architektur des europäisch-atlantischen Nachkriegssystems nun einmal beschaffen ist seit seiner Gründung vor vierzig Jahren, steht mit der inneren Verfassung der Bundesrepublik auch die äußere der Nachbarn auf dem Spiel. Niemand sieht das heute schärfer als die politische Klasse Frankreichs, durch die Geographie unentrinnbar an das deutsche Schicksal gebunden.

Als dieses System nach dem Zweiten Weltkrieg ins Leben gerufen wurde aus dem gleichen moralischen und politischen Instinkt, der Amerika zuvor, obwohl unangreifbar, in den Krieg geführt hatte, war die nukleare Waffe in amerikanischer Hand und in ihr allein, und diese Lage dauerte gerade lange genug, um Westeuropa gegen die Sowjetunion zusammenzufügen aus den Trümmern seiner Geschichte. Die Europäer, am meisten aber die Deutschen, gewannen wieder Sicherheit, Prosperität und Zuversicht.

Seitdem leistete das Bündnis den schwierigen Übergang vom Kalten Krieg zur Entspannung, von »massiver Vergeltung« zu »Abschreckung und Verteidigung«. In den siebziger Jahren aber kreuzten sich zwei Linien amerikanischer Politik. Einerseits ließen sich die Vereinigten Staaten durch die sowjetische SS-20-Rüstung, den Doppelbeschluß und die NATO-Nachrüstung in eine nukleare Sicherheitsgemeinschaft mit den europäischen Verbündeten hineinziehen, die starken historischen Traditionen zuwiderlief. Andererseits suchten sie von der politischen Bewegung des »Freeze« und der »No first use«-Debatte bis hin zu der technischen Vision des Raketenabwehrsystems SDI immer wieder den Sicherheitsabstand von jenen »verstrickenden Allianzen«, vor denen George Washington die Nation einst gewarnt hatte.

Die Doppel-Null-Lösung ist, gemessen an 50 000 nuklearen Waffen in der Welt, marginal. Für die Sicherheitsgeometrie Europas indessen ist sie zentral. Aber sie ist nicht in sich gut oder schlecht, stiftet nicht per se den nuklearen Frieden, wie die einen hoffen, oder ermutigt den konventionellen Krieg, wie die anderen befürchten. Entscheidend kommt es darauf an, daß die heute fällige schmerzliche Überprüfung fruchtbar gemacht wird für neue strategische Sicherheitsgleichungen und eine weit ins 21. Jahrhundert hineinreichende Sicherheitspolitik. Denn die beste nukleare Koppelung nützt nichts, wenn sie den Alliierten, auf den es ankommt, politisch und moralisch überfordert. Die beste atlantische Solidarität nützt aber auch nichts, wenn es ihr an den militärischen Mitteln gebricht. Für

Sicherheit gibt es keinen Ersatz. Aber die politische Software ist in der Regel noch wichtiger als die militärische Hardware.

Die physische Anwesenheit der Nordamerikaner – aus den Vereinigten Staaten und aus Kanada – im westlichen Deutschland war lange nicht mehr so wichtig wie heute. Niemals war die europäische Solidarität so sehr gefordert. Die Realisierung von »Doppel-Null« muß als Phasen- und Stufenkonzept ablaufen, eng verbunden mit der Auslösung anderer, asymmetrischer und vor allem konventioneller Abrüstungsprozesse. In dem Dreieck London–Paris–Bonn muß man sich dem Diktat schöpferischen europäischen Denkens stellen, das in der Krise liegt. Man kann es sich auch nicht länger erlauben, beispielsweise in der Agrarpolitik jene gesamteuropäische Haftung geringzuachten, deren man in der Außen- und Sicherheitspolitik so dringend bedürftig ist. Sicherheitspolitik umfaßt weit mehr als das Ressort der Soldaten. Eine große europäische Technologiepolitik, mit den Amerikanern konzertiert, bleibt unerläßliches Element der europäischen Rolle: Ein müdes Europa ist aufgebbar, ein High-Tech-Europa niemals. Die deutschen Stärken in Wirtschaft, Finanzen und Technik können die deutschen Schwächen ausgleichen, die aus Geschichte und Geographie kommen.

Die geographische Gestalt der Bundesrepublik zeigt, daß sie aus Katastrophen entstand. In den Seelenwelten der Deutschen beben diese Katastrophen noch lange nach. Das Sicherheitsbedürfnis dieses Landes ist nicht allein militärisch zu beantworten, auch nicht durch Wohlstand und sozialen Frieden allein und schon gar nicht durch die Fluchtillusionen des Neutralismus und der Äquidistanz: Diese führen vielleicht in neue geistige Landschaften, aber nicht aus der Mitte des zerrissenen Kontinents.

Deutschland – aber wo liegt es? Die Ortsbestimmung der Bundesrepublik hängt am meisten von den Deutschen selbst ab.

33. Bauern ohne Deckung?

Raketenschach und Bündnisinteressen

Worin liegt die eigentliche und existentielle politische Garantie der westeuropäischen Sicherheit? Die technischen Mittel der Abschreckung sind eine notwendige, aber nicht ausreichende Bedingung.

Schachspiel und Ost-West-Konflikt haben drei Regeln gemeinsam: Die Welt ist zweigeteilt, konventionelle Bauern und nukleare Ritter existieren auf unterschiedliche Weise, und die Spieler stehen, ob sie wollen oder nicht, unter ständigem Zugzwang.

Die Schach-Analogie indes hat Grenzen. Während die Sowjetunion nach politischer Theorie und Manöverpraxis auf Übermacht, Machtprojektion und Denuklearisierung Westeuropas und vor allem der Bundesrepublik zielt, stellt die NATO immer gerade genug Figuren auf das Brett, um vom Wagnis abzuschrecken, die Position zu halten und den Krieg zu verbieten. Der Westen wollte, wie sich 1953 in Ost-Berlin erwies und 1956 in Budapest, über »containment« nie hinaus; Roll-back blieb eine Rhetorik moralischer Eroberungen.

Auch ist die Geometrie der Weltpolitik, anders als beim Schachspiel, asymmetrisch. Dem sowjetischen Landimperium steht die Seeallianz der Küsten des Atlantiks entgegen. Deren militärische Klammern sind Flotten, Fluggeschwader und vorwärts stationierte Truppen, zuerst und zuletzt aber nukleare Waffen.

Auf dem Spielbrett der Weltpolitik sind es die nuklearen Ritter, die alle Aufmerksamkeit bannen und das Feld zu beherrschen scheinen durch Schnelligkeit, Präzision und Zerstörungskraft. Seitdem aber Parität eintrat zwischen den nuklearen Rittern beider Seiten, verdammen sie einander wechselseitig zur Untätigkeit: Ihr Krieg findet nicht statt. Fast könnte man glauben, sie existierten nicht mehr wirklich, ihre Strategie sei bloße Pantomime. Und in der Tat, der Aufbruch des Ritterheeres hätte die Vernichtung seines Reiches zur Folge, und deshalb, so die Vermutung, wird er unterbleiben.

Auf dem Schachbrett aber drängen sich noch immer die Bauern, und am meisten in der Mitte. Ihre Rolle ist vorerst die von Warnern und Wachtposten. Auch sollen sie den Rittern im Ernstfall Bedenkzeit verschaffen. Sobald die Ritter einander lahmlegen im Gleichgewicht des Schreckens, kann indessen die Stunde der Bauern kommen. Auf leerem Felde wären sie es, die das Spiel entscheiden. Dann winkt dem der Sieg, der mehr Bauern bewegen kann. Weil jedermann dies ahnt und weil das Ergebnis errechenbar ist, wird der Sieg denkbar, ohne einen Schuß abzufeuern: Die Machtprojektion erfüllt sich. Seit Reykjavik 1986 ist den Europäern das Bewußtsein dafür geschärft.

Vor vier Jahrzehnten trat der Nordatlantikpakt ins Leben mit starken Rittern und schwachen Bauern. Stalins Sowjetunion hatte Panzer- und Artilleriemassen, die zielstrebig nuklear überwölbt wurden. Die Forschung begann 1942, 1949 folgte die Atombombe, 1953 die Wasserstoffbombe, 1957 Interkontinentalraketen. Parität, schon am Ende der fünfziger Jahre intellektuell vorweggenommen, bewirkte nach dem Erschrecken in Berlin- und Kuba-Krise die weltpolitische Détente.

Die sowjetische Bauernarmee hörte unterdessen nicht auf zu wachsen. Aber ihre Übermacht erschien dem Westen erträglich aus zwei Gründen, die einander bis zu einem gewissen Grade widersprechen: einerseits Übermacht der Ritter über die gegnerischen Bauernmassen, andererseits die Gewißheit, daß die Ritter einander gegenseitig vernichten können und die Bauern mit.

Die düstere Philosphie der »wechselseitig gesicherten Vernichtung« versprach Sicherheit durch Teilung der Gefahr. Beide Seiten stellten einander die eigene Bevölkerung und die der Verbündeten als Geisel nuklearen Wohlverhaltens. Im ABM-Vertrag wurde daraus 1973 die Formel des gegenseitigen Abwehrverzichts, ja des Abwehrverbots. Rüstungskontrolle wurde Teil der Sicherheitspolitik. Heute, da Angst und Hoffnung tief hineinwirken in die offenen Gesellschaften des Westens, ist sie auch eine Variante der Strategie mit anderen Mitteln.

Denn die Spieler spielten niemals nach denselben Regeln. Unterhalb ihres Ritterheeres bauten die Sowjets seit 1970 ein neues Potential auf, welches die westlichen Bauern bedroht, aber nicht die amerikanischen Ritter: Mittelstreckenraketen. Die NATO antwortete mit Nachrüstung und nuklearer Solidarität. Das Ergebnis ist ein neuerliches Patt in einer prekären Balance. Zugleich aber suchen die Amerikaner sich gegen den Krieg der Ritter zu versichern durch SDI, die Sowjets durch gegenläufige Forschungen und Entwicklungen, nur ohne Namen.

Bringt die doppelte Null-Lösung das Spiel zu Ende, gerät das Spielbrett in eine Schieflage? Der amerikanische Präsident sucht Entlastung für seine angeschlagene Präsidentschaft im Genfer Erfolg, der auch SDI abdecken soll. Zugleich möchte Amerika sich den Folgen der Tatsache entziehen, daß die europäische Sicherheit die Verpfändung der eigenen Existenz verlangt. Amerika wird nicht isolationistisch. Rechts und Links in der amerikanischen Öffentlichkeit aber stimmen überein, Sicherheitsabstand zu suchen und Souveränität und Distanz zu gewinnen vom nuklearen Risiko Zentraleuropas.

Damit wird das große Spiel um Ordnung und Gestalt Europas nicht entschieden. Es wird aber verändert. Lothar Rühl schrieb unlängst – in »Mittelstreckenwaffen in Europa« (1987) –, die militärgeographische Situation in Europa begünstige die Führung eines begrenzten Krieges durch die Sowjetunion dann, »wenn ein Rückgriff der NATO auf Kernwaffen ausgeschlossen werden kann«. Die sowjetische Nuklearrüstung schließe weitreichende regionale Angriffsoptionen ein. Diese hätten den Sinn, die Eskalationsfähigkeit der NATO im Fall eines Angriffs auf Westeuropa zu blockieren: »Deshalb war der angebotene Verzicht der NATO auf landgestützte LRINF, die sowjetisches Staatsgebiet erreichen können, von so großer und beispielhaft strategisch-politischer Bedeutung und hat – wenn auch erst spät – das Interesse der Sowjetunion an ihrer Beseitigung geweckt.«

Mit der doppelten Null-Lösung lösen die Amerikaner ein nukleares Engagement in Europa, das ihnen zur Last wurde. Beim weiteren Fortschreiten der Rüstungskontrolle kann die Bundesrepublik in ein Dilemma geraten: Entweder allein zu stehen – »singularisiert« – als Standort nuklearer Kurzstreckensysteme, durch eine »Brandmauer« vom Westen getrennt, deren Existenz weitreichende politisch-psychologische Folgen zeitigen kann. Oder denuklearisiert zu werden, und dann stehen die Bauern ohne Deckung da. Das eine kann nicht Bündnisinteresse sein und das andere auch nicht.

In dieser Lage ist es wichtig, sich zu vergewissern, was die Grundlage bleibt für Sicherheit und Abschreckung. Die Koppelung der europäischen Sicherheit an die amerikanische liegt nicht in technisch-militärischen Mitteln, sondern im Willen der Nordamerikaner, Europas Sicherheit zu ihrer eigenen zu machen, und in dem Glauben, den diese Haltung bei den Sowjets findet. Die Waffen sind Symbol und Ultima ratio. Sie sind nicht Substanz dessen, was das atlantische Bündnis zusammenhält. Von Entkoppelung zu reden ist deshalb in der Sache übertrieben und politisch unweise. Es kann darin die Gefahr einer Prophezeiung liegen, die sich selbst erfüllt. Das Schachspiel ist noch nicht zu Ende. Die Bauern allerdings werden die Ritter noch lange brauchen. Sonst wäre der Bauernkrieg entschieden, bevor er überhaupt beginnt.

34. Lehren einer langen Krise

Die Architektur der europäischen Sicherheit wird sich ändern. Aber weder hat das Dach des Hauses Löcher, noch sind die Kredite der erweiterten Abschreckung gekündigt. Das Abkommen der nuklearen Weltmächte über die Eliminierung nuklearer Mittelstreckensysteme mit Reichweiten zwischen 500 und 5000 Kilometern steht vor dem Abschluß. Wie am Ende des Tages die Wirkungen aussehen, ist nicht allein in seinem Wortlaut beschlossen, dessen Detail im übrigen vielfach noch festzulegen bleibt, sondern noch mehr in den Lehren, die Ost und West aus der seit zehn Jahren währenden Raketenkrise ziehen.

Ist Westeuropa verwundbarer geworden gegenüber sowjetischem Druck, oder bringt das Abkommen mehr Stabilität auf niedrigerer Ebene? Ist das Abkommen Anfang einer Schieflage, oder leitet es eine neue Phase der Entspannung ein? Gibt es den Sowjets ein Veto über künftige NATO-Rüstungen, oder entwindet es ihnen ein militärisches Präzisionsinstrument? Ist die Rüstungskontrolle das Passepartout zu jenem Zustand, da Sicherheit nur noch miteinander gesucht wird, oder ist sie Fortsetzung der alten Strategie mit neuen Mitteln?

Es gehört zu den Voraussetzungen aller Rüstungskontrolle, daß der Verlust an militärischer Kraft durch den Gewinn an politischer Kompromißfähigkeit wettgemacht wird, und es gehört zu den Bedingungen ihres Erfolges, daß beide Seiten sich einen Vorteil ausrechnen. Das INF-Abkommen soll zwar zum ersten Mal in der Geschichte der Rüstungskontrolle eine bestimmte Kategorie nuklearer Systeme beseitigen. Aber weder erlaubt es utopische Erwartungen auf das Millennium des Friedens, noch berechtigt es zu apokalyptischen Vermutungen über den Anfang vom Ende der westlichen Allianz. Allerdings erschöpft sich seine Bedeutung auch nicht darin, daß lediglich drei oder vier Prozent der nuklearen Sprengköpfe, die in der Welt sind, demontiert werden.

Das Abkommen wurde möglich, seitdem die – bis heute bedrängende – Frage der konventionellen Übermacht der Roten Armee getrennt worden ist von der Existenz der nuklearen Mittelstreckenwaffen, obwohl beides ursächlich zusammenhängt. Die Vereinigten Staaten suchen mehr Sicherheitsabstand vom Risiko Mitteleuropas, die Sowjets erstreben die Sanktuarisierung ihres Territoriums gegenüber einer nuklearen Gegenwehr vom Boden Westeuropas aus. Die Sowjetunion hat einen großen materiellen Aufwand in den Sand gesetzt, muß ihre nukleare Kosten-Nutzen-Analyse überprüfen und wird daraus vielleicht Konsequenzen ziehen, die kooperativer sind als Raketen.

Tatsächlich sind die Implikationen des Abkommens mehr

politischer als militärischer Natur, und das gilt vor allem für den weiteren Gang der Rüstungskontrolle. Denn wenn das politische Klima zwischen Ost und West sich verbessert, verändert sich auch die Bedrohungsanalyse, die immer aus zwei Komponenten und ihrer Wahrnehmung besteht: Fähigkeiten und Absichten. Technisch bietet das Abkommen eine beachtliche Abschlagszahlung auf jene Berechenbarkeit, aus der allein Stabilität kommen kann. Die Bedeutung des Abkommens für die Osteuropäer, deren regierende Klasse mitunter hörbar stöhnt unter der ihren Ländern aufgebürdeten Last, ist auch in politischen und moralischen Begriffen zu beschreiben.

Ziel der Sowjetunion bleibt es, Westeuropa und vor allem die Sicherheit der Bundesrepublik zu denuklearisieren und zugleich die eigene konventionelle Invasionsfähigkeit zu erhalten – für den inneren Krisenfall wie für Machtprojektion in Richtung Westen. Grundlage westeuropäischer Sicherheit bleiben nukleare Abschreckung, die Glaubwürdigkeit der Strategie der flexiblen Antwort und die Anwesenheit der amerikanischen Truppen und ihrer Angehörigen. Deren Präsenz aber, auch das bleibt festzustellen, beruht nicht auf der Menschenfreundlichkeit Amerikas, sondern auf existentiellem Interesse an der Sicherung Europas und dem Fortbestand des atlantischen Systems.

Der weitere Gang der Rüstungskontrolle wird im strategischen Bereich davon bestimmt, daß die Sowjetunion die von den Amerikanern gewünschte Halbierung der Systeme nur zugestehen will, wenn SDI storniert wird. Ob es eine dritte Null-Lösung im Bereich der Kurzstreckensysteme unterhalb 500 Kilometer geben kann und soll, ist fraglich. Ein großer Teil dieser Systeme dient mehr der Selbstabschreckung als der Abschreckung. Aber technisch entziehen sich die meisten dieser Systeme der Überprüfung. Die seegestützten Systeme werden wieder wichtiger, ebenso die britischen und französischen Nuklearwaffen, die im kommenden Jahrzehnt qualitativ und quantitativ an Gewicht gewinnen.

Abschreckung bleibt Grundlage westeuropäischer Sicherheit und weltpolitischer Stabilität, und wirksam ist sie nach aller Erfahrung nur in nuklearer Form. Denn die Geschichte der

Menschheit ist auch die Geschichte des vergeblichen Versuchs, Sicherheit durch konventionelle Abschreckung zu gewinnen. Die Legitimation von Atomwaffen für den Westen lag nicht nur in dem Gleichgewicht, das sie anfangs gegenüber der Sowjetunion herstellten. Noch mehr liegt sie heute in dem Verbot des Krieges, das in ihrer Existenz enthalten ist. Die Rolle nuklearer Waffen, auch das gehört zu den Lehren aus Aufstieg und Niedergang der Mittelstreckensysteme, ist viel mehr psychologisch-politischer als militärischer Art.

Was der Westen nach der doppelten Null-Lösung braucht, ist nicht Reparatur des Daches oder Neuverhandlung des Hypothekenzinses. Er braucht vor allem den Entwurf einer Gesamtarchitektur für die Sicherheit der industriellen Demokratien, welcher nukleare Abschreckung und konventionelle Verteidigung auf der einen Seite, Rüstungskontrolle und Vertrauensbildung auf der anderen Seite zusammenfügt. Dieser Grundgedanke des Harmel-Berichts von 1967 ist unverändert tauglich, auch wenn er heute neuer materieller Ausfüllung bedarf. Denn in solchem Einerseits–Andererseits entscheidet sich, ob das INF-Abkommen auf lange Sicht einen Verlust an Sicherheit nach sich zieht oder einen Gewinn. Wie verwundbar Europa in Zukunft sein wird, hängt nicht allein von den nuklearen Weltmächten ab, sondern ebenso von der Einsicht der Europäer, daß sie Subjekt ihrer Sicherheit nur gemeinsam werden können – oder gar nicht.

35. Festigkeit, um Wandel zu ermöglichen

Gesucht: Ein neuer Harmel-Bericht

*Nach der Raketenkrise, die am Höhepunkt der Entspannungs-
hoffnungen der 70er Jahre unauffällig begann, mit Kanzler
Schmidts IISS-Rede vom Dezember 1977 erstmals identifiziert
wurde und dann zur dritten großen Ost-West-Krise seit 1945 em-
porstieg, liegt in der Frage nach Gestalt und Struktur der Pax
Atlantica und der deutschen Rolle darin die große Aufgabe der
kommenden Jahre.*

Abschreckung, so bemerkt der Philosoph André Glucksmann,
ist die Verständigung derer, die sich nicht verständigen können.
Mit dem Harmel-Bericht unternahm es der Ministerrat des
Nordatlantikpakts im Dezember 1967, diese düstere Logik zu
überwinden. Heute ist es an der Zeit, die Architektur von damals neu zu durchdenken und zu fragen, wie ein neuer Harmel-
Bericht auszusehen hat.

Frieden unmöglich, Krieg unwahrscheinlich – in solchen
Worten beschrieb Raymond Aron den Weltzustand, der aus
dem großen Schisma der Siegermächte des Zweiten Weltkriegs
entstand. Die Suche nach dem Frieden machte nach 1945 Halt
bei Eindämmung und Kaltem Krieg. Die westliche Folgerung
war 1949 die Gründung des Nordatlantikpakts. Als General Eisenhower damals im amerikanischen Senat gefragt wurde, wie
lange er sich die Truppenstationierung in Europa vorstellen
könne, antwortete er: vier bis fünf Jahre. Aber die NATO war
nicht Episode, sondern wurde Mittelstück einer internationalen Friedens- und Stabilitätsordnung mit dem Schwerpunkt
Europa.

Zwanzig Jahre nach der Gründung stellte sich die Frage, ob
die NATO 1969 enden oder neue Form und neuen Inhalt gewinnen werde. Welche Rolle für die Nordamerikaner, die Europäer, die Bundesrepublik Deutschland? War Sicherheit auf
Entspannung allein zu gründen? Die Vereinigten Staaten wa-

ren damals verstrickt im Vietnam-Krieg. Auf der großen Ost-West-Bühne suchten gleichwohl die beiden nuklearen Weltmächte, durch Berlin- und Kuba-Krise erschreckt, den großen Akkord, um zuerst im Non-Proliferation-Vertrag das Atomwaffenduopol zu festigen und dann wirksame Nuklear-Rüstungskontrolle zu schaffen. Auch brauchte der Westen eine Antwort auf die sowjetische Formel der friedlichen Koexistenz bei fortdauerndem ideologischem Kampf. De Gaulle führte 1966 Frankreich aus der militärischen Integration der NATO, allerdings unter der stillen Annahme, es würden unverändert und unveränderbar östlich von Straßburg befreundete Truppen stehen und westlich von Le Havre amerikanische Interkontinentalraketen die große Abschreckung besorgen. Für die kleine »dissuasion« wollte er selber sorgen.

Seitdem die Sowjetunion über die Wasserstoffbombe verfügte und den Sputnik mit einer Interkontinentalrakete in den Weltraum geschossen hatte, war die NATO-Strategie der »massiven Vergeltung« fragwürdig geworden. Frankreichs Adieu machte den Weg frei, an ihre Stelle die »flexible Antwort« zu setzen und damit aus der Not eine Tugend zu machen. Zuletzt, im Juni 1967, erinnerte der Sechs-Tage-Krieg im Nahen Osten die Welt daran, wie dünn die Linie war, die Krise und Krieg trennte.

Alle Fragen mündeten damals in die eine, die Antwort heischte: Was würde auf die NATO folgen? War das Bündnis auf dem Wege, überflüssig zu werden? Würde es an seinen inneren Gegensätzen zerfallen? Würde die Bonner Ost- und Deutschlandpolitik Widersprüche aufreißen in der europäischen Mitte? Oder war nur die Zeit reif für eine neue geistige und politische Begründung? Eine neue Rolle? Eine neue Politik?

Es bleibt das Verdienst des belgischen Außenministers Pierre Harmel, daß er 1966 die Initiative ergriff, an deren Ende am 14. Dezember 1967 der nach ihm benannte Bericht des NATO-Rats stand: »Die künftigen Aufgaben des Bündnisses«. Viel zitiert und wenig gelesen, ist die politische Klugheit dieser großen NATO-Bilanz auch heute unverbraucht. Da wurde in einem großen Einerseits und Andererseits gedacht: gesicherte

Verteidigungsfähigkeit und Rüstungskontrolle; weniger Waffen, aber im stabilen Gleichgewicht; Abschreckung ja, aber nicht als einziges und letztes Wort, sondern modifiziert durch, wie das Wort heute heißt, systemöffnende Kooperation. Der Harmel-Bericht erinnerte auf Drängen der Deutschen daran, daß die Krisengefahr weiterbestehe, solange Grundfragen der Gestaltung Europas – zuerst und vor allem die Deutsche Frage – ungelöst blieben. Die nordatlantischen Minister wollten Festigkeit, um den Wandel zu ermöglichen. Gleichgewicht sollte »Stabilität, Sicherheit und Vertrauen« schaffen. Zur Rüstung trat Rüstungskontrolle als die andere Seite der Sicherheitspolitik.

Wenn der Harmel-Bericht auch nicht in der Sprache operativer Politik verfaßt war, so ist doch gewiß, daß das West-West-Verhältnis und noch mehr das Ost-West-Verhältnis seitdem ohne das Brüsseler Dokument um einen Maßstab der Vernunft ärmer gewesen wären. In dem Bericht war ein Sicherheitskonzept umrissen, um der Verteidigung Legitimität und der Verständigung eine Chance zu geben.

Es gibt Zeiten, da ist Pragmatismus Ausdruck von Vernunft. Und es gibt Zeiten, wie heute, da ist grundsätzliches Nachdenken geboten. Als der Harmel-Bericht entstand, kam er aus der Erkenntnis, die Vergangenheit des nordatlantischen Systems werde nicht seine Zukunft sein. Und sie ist es auch heute nicht. Zwanzig Jahre nach Harmel muß man sich auf beiden Seiten des Atlantiks fragen, worin in Zukunft Begründung und Zielsetzung der NATO liegen sollen. Die nuklearen Weltmächte sind in Bewegung. Aber wer unter ihnen die Erde erben wird, ist noch nicht entschieden. Die Antwort liegt noch immer in der Mitte Europas und damit in der Deutschen Frage. Rüstungskontrolle aber bedeutet, wie die Welt seit dem Harmel-Bericht lernen mußte, nicht Ende des Konflikts, sondern Fortsetzung der Strategie mit anderen Mitteln.

Das Abkommen über die Mittelstreckenraketen hat die Optionen des Westens mehr reduziert als die der Sowjetunion. Ihre Substituierungsprobleme haben die sowjetischen Strategen *pari passu* gelöst. Über die des Westens muß in politischen und militärischen Begriffen nachgedacht werden. Zu den Folgen des Abkommens gehört technisches und operatives Umdenken, noch mehr aber die schmerzhafte Überprüfung der Grundlagen europäischer Verteidigung und des europäischen Selbst- und Sicherheitsgefühls. Endlich und vor allem braucht der europäisch-nordamerikanische Dialog innere Klarheit und langfristige Berechenbarkeit.

In dieser Situation gilt es, wie im Harmel-Bericht, Festigkeit und Offenheit nach Osten in ein neues Verhältnis zu bringen, Abschreckung und Sicherheitsgefühl ins Gleichgewicht zu setzen und die Sowjetunion an ihren Taten in der Mitte Europas zu messen. Endlich aber muß man darüber nachdenken, jene großen Fragen in den Sicherheitsdialog einzufügen, welche die Welt trennen oder verbinden können wie nie zuvor: Umweltzerstörung und Energieknappheit, Bevölkerungsexplosion und Rohstoffmangel.

Der Harmel-Bericht hat gezeigt, daß Führung nicht notwendigerweise mit Gewicht oder Größe eines Landes zusammenhängt, sondern aus der Kraft der Gedanken und der Logik der Lage kommt. Zeit ist nicht zu verlieren, wenn der Westen beabsichtigt, in der Auseinandersetzung mit Substanz und Rhetorik des »Neuen Denkens« in der Sowjetunion die weltpolitische Tagesordnung noch einmal zu bestimmen. Und wenn denn die strategische »Pause« beginnt, welche die meisten Sowjetexperten erwarten, dann ist dies ein weiterer Grund, die politische Bilanz der NATO nach den zweiten zwanzig Jahren neu zu eröffnen.

Ein neuer Harmel-Bericht muß die großen Fragen des Ost-West-Verhältnisses umfassen, die Zuordnung von nuklearer Abschreckung und konventioneller Verteidigung, von Rüstungskontrolle und Sicherheit. Ein solcher Bericht wird auch nicht umhinkönnen, der westlichen Öffentlichkeit mit Klarheit zu sagen, daß Rüstungskontrolle nur dann möglich ist, wenn das Gegengewicht zu sowjetischer Invasionsfähigkeit, mithin Abschreckung, erhalten bleibt. Ein konventionelles Gleichgewicht, wenn es denn herbeiverhandelt werden könnte, macht nukleare Abschreckung nicht entbehrlich. Konventionelle Verteidigung und nukleare Abschreckung können einander nicht ersetzen, und es gibt keine politische Rechenkunst, dies trotzdem zu bewirken.

Die Erfahrung vieler Jahrhunderte sagt, daß konventionelles Gleichgewicht den Krieg nicht verhindert. Die Erfahrung der letzten vier Jahrzehnte aber sagt, daß die Existenz nuklearer Waffen den Krieg verbietet. Eine westeuropäische Verteidigung ohne nukleare Waffen aber würde nach menschlichem Ermessen den Krieg wahrscheinlicher machen, denn sie würde ihn begrenzbar und damit berechenbar erscheinen lassen. Und schon im Aufbau einer Krise würde sie konventioneller Einschüchterung mehr Gewicht verleihen als zu irgendeinem Zeitpunkt seit 1945. Verzicht auf Abschreckung, konventionell oder nuklear, ist allein möglich, wo die Konflikte, wie in Westeuropa, von Grund auf gelöst sind. Im Ost-West-Verhältnis ist man davon weit entfernt.

Ein neuer Harmel-Bericht müßte nicht allein die Wege weisen, um die europäische Verteidigungsidentität zu stärken, sondern auch um das Engagement der Nordamerikaner langfristig an Europa zu binden. Strategie und Rüstungskontrolle müssen wieder zusammengeführt werden im Dienst eines übergreifenden Sicherheitskonzepts. Krisenstabilität und Entspannung: das eine ist, wenn der Harmel-Bericht Lehren enthält, ohne das andere nicht zu haben. Gleichgewicht ist durch nichts zu ersetzen.

IV. Wie nah sind die Nachbarn?

36. Kanada: Schmerzliche Entscheidungen

Das größte Land des atlantischen Bündnisses wird auch am meisten übersehen: Kanada. Nirgendwo hört man so häufig wie dort von »identity« reden, und das hat viele Gründe. Noch wichtiger aber sind die Folgerungen für die Zukunft des atlantischen Verhältnisses. Aus der Beobachtung Kanadas über viele Jahre und einem langen Studienaufenthalt entstanden mehrere Artikel, die sich mit kanadischen Kopfschmerzen befassen.

Kanada hat drei Probleme: das Klima, die Größe und die Vereinigten Staaten von Amerika. Der jüngste Versuch, von dem südlichen Nachbarn nicht erdrückt zu werden, hat die Form von Verhandlungen über die Beseitigung der Zollschranken. Die Motive: Kanadas Abhängigkeit als größter Handelspartner der Vereinigten Staaten (vor Japan und der Europäischen Gemeinschaft), das bedrohliche Defizit in der amerikanischen Zahlungsbilanz und die Sorge über den Protektionismus auf dem Kapitol in Washington.

Ottawa konsultiert zur Zeit die Provinzen. Kommt es zu der von Kanada gewünschten Vereinbarung, so reichen die Wirkungen über den wirtschaftlichen Bereich hinaus. Welche Bedeutung aber hat all dies für das Land des Ahornblatts, dessen Ausfuhr zu 76 Prozent nach den USA geht, wovon wiederum 2,2 Millionen Arbeitsplätze abhängen? Und welche für das atlantische Verhältnis?

Kanada hat ein doppeltes Geburtstrauma. Am Ende des Siebenjährigen Krieges 1763 kassierten die Briten die Machtstellung der Krone Frankreichs in Québec. Und 20 Jahre später war es um die der Briten südlich des St.-Lawrence-Stroms geschehen. Es entstanden die Vereinigten Staaten von Amerika, und Kanada formierte sich als loyalistische Gegen-Gesellschaft. Seitdem setzt der Süden auf den »pursuit of happiness« und auf eine freie Konkurrenzgesellschaft, der Norden auf den Staat, auf Interventionismus und Autorität.

Als Napoleon nach Rußland aufbrach, marschierten die Amerikaner nach Norden. Der Krieg von 1812 endete unentschieden, nachdem die Soldaten unter dem Union Jack das erste Weiße Haus in Washington mit Sorgfalt verbrannt hatten. Die Kanonen des kanadischen Fort Henry am Ausgang des Ontario-Sees zeigen seitdem nach Süden.

So zieht sich durch die kanadische Geschichte nichts stärker als der Versuch der Kanadier, gegenüber den mächtigen Vereinigten Staaten von Amerika – schon der Name hatte für die Loyalisten im Norden einen ominösen Klang – sie selbst zu bleiben. Das fordert ihnen wirtschaftliche, politische und moralische Anstrengungen ab. Der wirtschaftliche Austausch geht viel stärker in Nord-Süd-Richtung als in Ost-West-Richtung. 25 Millionen Kanadier leben in einem Streifen entlang der Grenze zu den USA: Er ist so lang, daß er vom Atlantik bis zum Pazifik vier Zeitzonen umfaßt, und so schmal, daß man ihn mit dem Wagen in ein bis zwei Stunden durchmißt. Nördlich davon ist nur noch Natur. Was das Land in Ost-West-Richtung trotzdem zusammenhält, sind eine Bahnlinie, eine Autobahn, das überlieferte Rechtssystem und der weitgespannte Föderalismus.

Das meistgelesene kanadische Buch über die Kanadier – Pierre Bertons »Why we act like Canadians« – ist in Briefform an »Sam« geschrieben, der südlich der Grenze lebt, ein Kraftkerl mit starkem Willen und wenig Erfahrung. Wie ähnlich auch immer der Lebensstil geworden ist, wie verflochten die Unternehmen längst sind: vor allem in der Energie- und Verkehrs-Wirtschaft haben die Kanadier einen Kernbestand durch Bildung von Crown Corporations als Staatsunternehmen dem Konkurrenzdruck entzogen; ähnlich bei den Medien und in der Personalpolitik der Universitäten.

Die Außenpolitik des Landes wurde bis zum Zweiten Weltkrieg großenteils in London miterledigt. Dann aber begann eine große Diplomatie, die bei der Gründung der Vereinten Nationen ins Gewicht fiel, die NATO ins Leben rief, zur Lateinamerika-Politik Washingtons Gegengewichte setzte und die zuletzt unter dem liberalen Premier Pierre Trudeau vergeblich die »Third Option« ins Werk zu setzen trachtete: eine eigenständige Partnerschaft mit den Europäern, gestützt auf weltwirtschaftliche Arbeitsteilung und komplementäre Interessen. Statt dessen wuchs die Verflechtung mit den Vereinigten Staaten. Was bleibt, ist der Versuch, der protektionistischen Versuchung vorzubeugen, die von Süden kommt und von der die Kanadier selbst auch nicht frei sind.

Was kann Freihandel auf dem nordamerikanischen Kontinent bedeuten? Nicht Verschmelzung der USA und Kanadas; gewiß aber die Veränderung der politischen und wirtschaftlichen Architektur. Die Binnenorientierung der amerikanischen Wirtschaft wird wachsen. Auf dem nordamerikanischen Kontinent wird ein wirtschaftliches Gegengewicht fehlen, die wirtschaftliche Bindung der kanadischen Provinzen an den Süden wird noch mehr in Konkurrenz treten zur politischen an Ottawa, und damit wird auch die Stimme Kanadas in der Weltpolitik leiser werden. In Kanada weiß man, daß die Verhandlungen lang und schwierig werden.

Die Europäer sollten sich nicht der Täuschung hingeben, diese Verhandlungen und die Freihandelszone, wenn sie denn entsteht, hätten mit Politik nichts zu tun. Man sollte sich auf dieser Seite des Atlantiks nicht nur fragen, ob in der Vergangenheit, indem die kanadische Frage ohne Antwort blieb, vermeidbare politische Fehler unterlaufen sind. Vorhersagbar ist, daß sich Grundstrukturen der kanadischen Wirtschaft, des Sozialvertrags und der politischen Kultur verändern werden und die starke US-amerikanische Wirtschaft noch stärker wird. Unvorhersagbar aber ist, ob der nordamerikanische Großwirtschaftsraum, der hier entstehen kann, sich dann erst recht auf Protektionismus zurückzieht oder ob die Sache des freien Handels gestärkt wird. Hier vor allem sind die Interessen der Europäer engagiert, aus Gründen der Wirtschaft wie der Politik.

37. Östlich von Suez

Eine politische Studienreise nach Indien begann mit einer historischen Frage und endete mit einem Blick auf künftige Ungewißheiten.

Als das British Empire noch existierte, waren die Wellen des Indischen Ozeans »British Waters«. 1947 wurde das geteilte Indien in die Unabhängigkeit entlassen. Damit verloren Flottenpräsenz und Stützpunkte des Empire zwischen Zypern und Hongkong ihre Raison d'être. Zwanzig Jahre später war östlich von Suez fast überall der Union Jack niedergeholt. Heute geht es um die Entscheidung, wer dort das britische Weltreich beerben wird.

Die Inder würden gern den Ozean, der nach ihnen heißt, als Mare nostrum beanspruchen. Aber die Theorie der Blockfreiheit, die Praxis nationaler Interessenpolitik, zwei Flugzeugträger und eine mittelgroße Flotte können schwerlich hinreichen. Die Weltmacht Amerika hat mit der Errichtung des Central Command im Juni 1983 für Südwestasien und den nördlichen Indik ihr Interesse bekundet. Der amerikanische Horizont beginnt, die unsicheren Küsten Afrikas und Asiens zu umschließen. Die kleine Insel Diego Garcia, mangels eingeborener Bevölkerung sicherer Rechnungsposten für die Vereinigten Staaten, ist wie ein unversenkbarer Flugzeugträger inmitten des Indischen Ozeans verankert.

Von Nord nach Süd die Küsten des Indik entlang ist es die Sowjetunion, die durch Subversion und Militärhilfe Fuß zu fassen sucht. Wie einst die Briten »from Cape to Cairo« planten, haben die Sowjets ihre Großraumstrategie entworfen. Trotz der Rückschläge in Ägypten und Somalia halten sie eine Kette von strategischen Nutzungsrechten und streben mit Stoßrichtung Südafrika nach mehr.

Einst war der indische Subkontinent Kronjuwel des British Empire. Die Fassung des Juwels war der Indische Ozean mit den vier Zugangswegen via Südafrika, Suez, Singapur und

Australien. Die Briten wußten, daß die Royal Navy die See beherrschen mußte, damit das Empire die Macht über das Land bewahren konnte. Heute birgt das vom Bürgerkrieg erschütterte Kap nichts von der guten Hoffnung, mit der ihm die Entdecker einst den Namen gaben. In Europa denkt man, wenn es viel ist, bis zur Südspitze Afrikas und ans Ende der Burenvormacht. Aber die geostrategische Schlüsselrolle der Kap-Route ist noch nicht zu Ende, und die strategischen Mineralien Südafrikas sind für die westlichen Industriestaaten nur schwer, wenn überhaupt, ersetzbar.

Die Suez-Route, seit dem französischen Kanaldurchstich 1869 Mittelstück der großen Schiffahrtsstraße in den Mittleren Osten, wird von Kriegen und Bürgerkriegen gesäumt. Wo einst die Briten in Aden standen, haben die Sowjets eine ausbaufähige Riegelstellung zwischen Süd-Jemen und Äthiopien. Jenseits davon liegen nicht nur die Ölreserven zu Lande und off-shore. Dahinter drohen auch der Iran-Irak-Krieg, die Sowjet-Okkupation Afghanistans und die Ungewißheit, die die Zukunft Pakistans umgibt.

Im Osten, wo Indik und Pazifik ineinander übergehen, übernahmen Guam und die philippinischen Stützpunkte der Vereinigten Staaten jene Funktion, die bis zum Angriff Japans 1941 Singapur für die Briten hatte. Subic Bay und Clark Airfield Base sind heute die größten Überseestützpunkte der Vereinigten Staaten. Ob aber der Sturz Marcos' und seiner Männer den Einfluß des Westens in der Region sichern hilft, ist ungewiß.

Von allen Zugängen des Indischen Ozeans blieb allein Australien unverändert. Aber die Labour-Regierung sucht ein neues Sicherheitskonzept, die antinukleare Strömung macht sich geltend, eine SDI-Beteiligung wird abgelehnt. Australien sucht nach Wegen, sich aus den engen militärischen Bindungen mit den Vereinigten Staaten zu lösen. Die Riegelstellung, die einst bis Singapur im Norden reichte, wird fraglich.

Das British Empire ist dahin, und die Europäer sind nicht unter seinen Erben. Engländer spielen auf der Arabischen Halbinsel noch eine militärische Rolle. Aber allein Frankreich hat zwischen Djibouti und den Kerguelen-Inseln machtpolitisches Gewicht. Unsere Rolle kann in Vertrauensbildung, Kooperation, politischer Hilfestellung liegen. Darüber hinaus gibt es für keine europäische Politik der Einflußsphäre Unterstützung, Konzept oder Mittel. Doch der Indische Ozean wird nicht sich selbst überlassen bleiben. Die Natur und die Macht haben den Horror vacui.

Alfred Th. Mahan war der amerikanische Seestratege, der im 19. Jahrhundert der amerikanischen Marine den Weg wies vom Soldaten-Transportunternehmen zur »blue water fleet«. Er vertrat die These, daß Bedingung für Weltmacht in der Geschichte immer Seegeltung war und immer sein werde. Mahan lehrte die amerikanische Marine – und nicht nur sie –, in diesen Begriffen zu denken; er ahnte noch nichts von den Bürger- und Stellvertreterkriegen, die heute die Gestade des Indischen Ozeans heimsuchen. Mahan wußte auch nichts von den langen Märschen der Raketen-Unterseeboote, die die Zweitschlagsfähigkeit sichern, und von der Bedeutung des Indik für die Abwehr der dort in ihren Ellipsen erdnah passierenden Sowjetsatelliten. Aber Mahan verstand, daß in dem Ozean zwischen den Ozeanen der Stoff zu finden war, aus dem Weltmacht besteht: »Wer den Indischen Ozean unter seiner Kontrolle hat, beherrscht Asien. Dieser Ozean bildet den Schlüssel zu den sieben Meeren. Im 21. Jahrhundert wird sich die Zukunft der Welt auf seinen Wassern entscheiden.«

Es gibt politische, ökonomische und strategische Gründe für die Europäer, sich der Tatsache zu erinnern, daß »East of Suez« nicht weit weg ist und auch nicht das 21. Jahrhundert.

38. Amerika und die deutsche Erbfolge

Oft wird hierzulande gefragt, was das atlantische Bündnis für die Deutschen ist; zu selten, was es den Vereinigten Staaten bedeutet. Ist die Pax Americana der Nachkriegszeit Fortsetzung der »manifest destiny«? Oder liegt darin die Abkehr von der Warnung Jeffersons und Washingtons vor »entangling alliances«, was damals die Französische Revolution meinte und heute die Sicherheit Westeuropas? Im Zeitalter der nuklearen Parität, der »mutual assured destruction« und der »Strategic Defense Initiative« stellen sich alte Fragen auf neue Weise.

Vor vierzig Jahren wurde die Wendung der amerikanischen Politik eingeleitet, die damals den Deutschen als Rettung erschien, deren fortdauernde Geltung heute jedoch die großen Parteien in der Bundesrepublik am schärfsten teilt. Im Stuttgarter Staatstheater hielt am 6. September 1946 der amerikanische Außenminister James F. Byrnes vor Besatzungsoffizieren und deutschen Notablen eine Rede, die das Veto der Vereinigten Staaten gegen das weitere Vordringen der Sowjets in Mitteleuropa bedeutete. Ohne es zu wissen, trat Amerika dadurch in die Erbschaft des Deutschen Reiches ein. Diese Erbschaft aber wurde im Kalten Krieg geteilt, die Entscheidung aufgehoben im bipolaren Weltsystem. Darin liegt bis heute die weltpolitische Bedeutung der Deutschen Frage.

Dem Krieg gegen Deutschland war, fast ohne Übergang, das Ringen um Deutschland gefolgt. In den letzten Stunden der Potsdamer Konferenz hatte Stalin nach der Elbe auch – über eine Ruhr-Kontrolle durch die Rote Armee – den Rhein verlangt, und Truman hatte abgelehnt. Die große Frage der Besiegten richtete sich seitdem an die Amerikaner. Waren sie da, um zu bleiben? Oder würden sie Europa bald wieder räumen? Wem sollte Deutschland gehören? Die Deutsche Frage stellte sich seit dem 8. Mai 1945 in ihrer einfachsten Form und trennte die Sieger des Zweiten Weltkrieges.

Bis Jalta und Potsdam war alles Aufschub gewesen, seitdem

war alles Doppeldeutigkeit. Der Westen hatte noch während des Krieges Polen, wie einst beim Wiener Kongreß den Zaren, nun deren Nachfolgern überlassen. Die Jalta-Erklärung über das befreite Europa klang indessen wie ein Werbeprospekt für westliche Demokratie. Was aus Deutschland werden sollte, blieb in der Schwebe. Das Land östlich von Oder und Neiße wurde, das war Vollzug von Plänen aus der Vorkriegs- und Kriegszeit, amputiert. Wie der Rest zu teilen wäre, hat man im Krieg immer offengelassen, um der Anti-Hitler-Koalition die Stunde der Wahrheit hinauszuschieben. Die Besatzungszonen sollten nichts als Provisorium sein. Aber zwischen deutscher Kapitulation und Potsdamer Konferenz fiel, wie Churchill damals sagte, der »Eiserne Vorhang« vor der russischen Front. Seitdem war die Idee des alliierten Kondominiums über Deutschland eine Illusion – oder Fassade sowjetischer Vorherrschaft über Europa.

In Potsdam blieb die Doppeldeutigkeit. Einerseits »Germany as a whole« mit gemeinsamer Verwaltung und Wirtschaft; andererseits Besatzungszonen, deren Schicksal zwischen Sowjetisierung im Osten und bemessener Schonung im Westen auseinandertrieb. Seitdem wurde auf dem europäischen Schachbrett Deutschland der Bauer, den jede der Mächte gegen die andere in eine Dame zu verwandeln suchte. Vor vierzig Jahren, als Byrnes geendet hatte, wußten die Anwesenden, daß das große Spiel um Deutschland nicht den Russen überlassen wurde. Die Botschaft des Außenministers: Die wirtschaftliche Einheit Deutschlands war zerrissen, und die US-Army würde bleiben, solange die Anwesenheit anderer Besatzungstruppen in Deutschland dies erforderte.

Byrnes wollte noch immer die Einheit Deutschlands, keine deutsche Wiederbewaffnung, vor allem nicht eine Lage, in der die deutsche Frage Ost und West entzweite. Aber Stalin sagte damals, mit den Panzern komme die Ideologie, und machte die Befreiung zur neuen Unterwerfung. Die Byrnes-Rede markierte den Moment, da Roosevelts Vision der *einen Welt* an der Realität des sowjetischen Militärimperiums zerbrach. 1947 folgte die Strategie des »containment«. Mit der Truman-Doktrin übernahm Amerika die historischen Interessen des britischen Empire im Nahen Osten und engagierte sich bald militärisch. Mit dem Marshall-Plan wurde die Genesung der zerrütteten europäischen Volkswirtschaften eingeleitet.

Dieser Konstellation verdankt das heutige Westeuropa seine Renaissance. Auch Adenauers großer Entwurf entstand aus dieser Lage. Er verstand, daß Westeuropa und die Pax Americana an der Elbe verteidigt werden mußten oder überhaupt nicht. So – und nur so – gewannen die Deutschen die Chance, vom Objekt der Sieger wieder zum politischen Subjekt zu werden – jedenfalls im Westen.

Vierzig Jahre nach der Byrnes-Rede ist vieles verändert, aber nicht alles. Verteidigungsfähigkeit bleibt Grundlage der Sicherheit. Aber Furcht und Vernunft haben in der Entspannung das Bemühen um den Modus vivendi mit dem mächtigen Nachbarn im Osten hinzugefügt. Noch mehr gilt, daß Westeuropa, 1945 in der Agonie, heute der einzige große Partner ist, der Amerika verbunden bleibt durch Geschichte, Interessen, Werte und Zukunft. Alle pazifischen Becken der Welt können, wie unlängst ein Diplomat des State Department mit Ungeduld sagte, für Amerika niemals wettmachen, was die Preisgabe Europas bedeuten müßte.

Es ist lebenswichtig für beide Seiten, die Gleichung der Interessen weiterhin zu verstehen und zu entwickeln, welche vor vierzig Jahren Grundformel der atlantischen Beziehung wurde. Die Vereinigten Staaten mußten, um die deutsche Erbfolge nicht ungeteilt den Sowjets zu überlassen, wohl oder übel in sie eintreten. Dafür verbanden sie ihr Schicksal mit dem der atlantischen Gegenküste. Für die Westeuropäer ist seitdem die amerikanische Garantie Ultima ratio der Sicherheit. Für die Vereinigten Staaten aber liegt im Bündnis mit Westeuropa der Unterschied, die mächtigste Insel der Welt zu sein – oder aber deren Führungsmacht.

39. Kanadas atlantisches Mandat

Kanada wurde gegen die Geographie erfunden und gegen die Vereinigten Staaten von Amerika. Die Geographie blieb unverändert, aber die Bitternis der frühen Jahre wich beidem: Anpassung und Selbstbehauptung. »Wir sind eine europäische Nation«, sagte ein kanadischer Diplomat, als unlängst die »Atlantik-Brücke« in Toronto ihr Gegenüber traf. Es geht um eine Tatsache, die auf beiden Seiten des großen Wassers aus dem Gedächtnis zu gleiten droht. Sie verdient es, daß man sich ihrer erinnert und die Frage stellt, was daraus folgt.

Wenn Kanada in der Tat beides ist, europäisch und amerikanisch, so muß das Land eine doppelte Rolle spielen. Gegenüber den Europäern der andere nordamerikanische Bündnispartner sein, was zuletzt 1984 bis 1986 sichtbar wurde bei der Stockholmer Langnam-Konferenz (KVAE) über vertrauen- und sicherheitsbildende Maßnahmen in Europa; zugleich den Europäern Anwalt auf dem nordamerikanischen Kontinent sein, hinter dem das zweitgrößte Territorium der Erde, 25 Millionen Menschen, eine gediegene politische Kultur und gesunde Wirtschaft stehen.

Nach dem Krieg spielten die Kanadier ihre europäische Rolle mit Pragmatismus und Augenmaß, und niemand hat dabei mehr gewonnen als die Deutschen. Die Kanadier trugen dazu bei, daß das »containment« der Sowjetunion aus einem einseitigen amerikanischen Engagement zum Vertragssystem wurde. Sie begriffen zuerst den Zusammenhang zwischen westlicher Sicherheit und deutscher Wiederbewaffnung. Und Kanadier waren es, die andeuteten, die Deutschen könnten die Sünder Europas sein oder seine Verteidiger, aber nicht beides in einem.

Heute findet sich das Land des roten Ahornblatts in einer doppelten Ungewißheit: Es geht um die Zukunft der Handelsbeziehungen mit den Vereinigten Staaten und um die strategische Arbeitsteilung auf dem nordamerikanischen Kontinent. 1985 suchten die Kanadier, enttäuscht von ihrer in Europa unerwidert gebliebenen »third option«-Politik, beunruhigt durch

Schutzzollversuchungen Washingtons und die Verschiebung ihres Exports von Industriegütern zu Rohstoffen, Verhandlungen mit dem Ziel der vollständigen Liberalisierung ihres Handels mit dem dominierenden südlichen Nachbarn. 30 Prozent des kanadischen Bruttosozialprodukts sind exportabhängig. 76 Prozent der Exporte gehen in die Vereinigten Staaten – der Autopakt von 1964 sichert die Integration der Automobilindustrie; 75 Prozent der Importe kommen von dort. Heute geht es weder um einen gemeinsamen Markt noch um eine Zollunion, die beide die wirtschaftliche Selbstbehauptung des Landes in Frage stellen müßten. Es geht allein um Sicherung des freien Zugangs zum US-amerikanischen Markt.

Selbst dieser pragmatisch defensive Ansatz ist indes in Kanada sozialpolitisch umstritten, und die langfristigen Folgen für die kanadische Lebensform sind es noch mehr. Denn was für die US-Amerikaner nationale Sicherheit ist, ist für Kanada kulturelle Identität. Und diese ist seit zwei Jahrhunderten durch die Auseinandersetzung mit den Vereinigten Staaten bestimmt. Die Amerikaner glauben an den Markt, die Kanadier an das feste Regiment. Der wilde Westen war ihnen niemals Traum, sondern immer Alptraum. Die Verhandlungen werden Jahre brauchen, ihr Ausgang ist – auch infolge des Tiefs, in dem die progressiv-konservative Regierung Mulroney steckt – ungewiß. Der Status quo allerdings gilt nicht als mögliche Antwort auf die langfristigen wirtschaftlichen Veränderungen.

Auch für die strategische Sicherheit Kanadas liegt der Schlüssel bei den Vereinigten Staaten. Man hat sich in Ottawa dem Vertrag von Regierung zu Regierung entzogen, den das Pentagon zur internationalen Abstützung von SDI suchte, und statt dessen auf Verträge von Firma zu Firma gesetzt. Die Forschung wird unterstützt, aber man mahnt auch zur Disziplin des ABM-Vertrags von 1973 und rät nachdrücklich zur strengen Interpretation. Wichtiger sind die strategischen Implikationen. Wie in der Bundesrepublik sieht man auch in Kanada heute SDI im dritten Zustand: Nach der alten Raketenabwehrforschung der siebziger Jahre und dem Ersatz von Strategie durch Vision 1983 beobachtet man seit 1985, daß die Wirklichkeit ihren Tribut verlangt. Geschützte Abschreckung hält man für möglich, mehr jedoch nicht für wünschbar, am wenigsten einen wilden Wettlauf zwischen amerikanischen Verteidigungs- und sowjetischen Angriffssystemen. Man erinnert sich in Kanada wieder daran, daß hinter den Weiten des Nordens das Polarmeer liegt und dahinter zu Wasser und zu Lande die sowjetischen Interkontinentalraketen aufgestellt sind. Erweiterte Luftverteidigung gegen bombergestützte Cruise-Missiles wird erwogen, SDI indessen mit Zurückhaltung betrachtet.

Die beiden Herausforderungen, vor denen Kanada heute steht, sind den Europäern nicht unbekannt: Es sind die Probleme der Mittelmacht gegenüber der Führungsmacht. Wie immer die Antworten am Ende lauten, es bleibt das kanadische Interesse, auf dem nordamerikanischen Kontinent eigene Politik zu vertreten. Europäisches Interesse bleibt es, daß Kanada, wie seit 40 Jahren, das atlantische Mandat wahrzunehmen weiß.

40. Neues Denken, altes Rußland

Eine Reise des Bergedorfer Gesprächskreises nach Moskau Ende März 1987 regte zu Fragen an nach den Aufbrüchen der Gorbatschow-Politik und ihren historischen Hemmnissen.

Dreimal in der Geschichte erlebte Rußland einen Umbruch. Immer gingen Krisen und verlorene Kriege voraus. Peter drehte am Anfang des 18. Jahrhunderts das Gesicht der Russen nach Westen und heißt seitdem der Große. Alexander II. brachte das Land nach dem Krim-Krieg durch Freisetzung der Bauern in eine bessere ökonomische Verfassung. Lenins Staatsstreich bemächtigte sich der russischen Februarrevolution und machte im Bürgerkrieg aus dem zerfallenden Bündelreich der Zaren den Entwurf jener Weltmacht, welche die Sowjetunion heute nach Anspruch, Gebiet und Militärmacht ist, nach wirtschaftlicher Leistung, innerer Dynamik und kultureller Ausstrahlung aber nicht.

Seit dem Ende der Gerontokratie bläst ein Wind des Wandels durch die Sowjetunion. »Rekonstruktion, Demokratie, Optimismus« kann man auf Plakatwänden in Moskau lesen, wo zuvor die Ikonen von Marx, Engels und Lenin bis zum jeweiligen Inhaber der Macht Anbetung heischten. Ist das »Neue Denken« mehr als Schall und Rauch für die geduldigen Sowjetmenschen? Und wenn ja, was enthält es für den Westen und insbesondere für die Bundesrepublik Deutschland?

Ob Gorbatschow es ernst meine? Die Einfalt solchen Fragens wird allein übertroffen von der Gewißheit, daß es so sei und daß die Geschichte neu beginne. Aber wird der russische Bär ein Teddybär werden? Die Berufung auf Lenin hat nicht nur legitimatorische Funktion, sondern auch einen drohenden Unterton. Die Sowjetunion bleibt dem Westen Gegenspieler und Widersacher, nur möglicherweise mit mehr Effizienz, Gewicht und Macht.

Es gilt daher, die Antriebskräfte zu begreifen, die dem Generalsekretär bisher Mehrheiten in der Sowjet-Oligarchie sicherten – wie sicher aber und wie lang, weiß niemand. Das Feuer von Tschernobyl war wohl nur das ernsteste der Warnungszeichen, die Zweifel nährten an der Unfehlbarkeit des Kommunismus, der Macht über die Geschichte und der Beherrschung der Zukunft. SDI ist den Sowjets weniger, als sie sagen, die militärische Drohung und mehr, als sie eingestehen, die unwillkommene Aufforderung zum technologischen Weltmachttanz.

Wenn schon im Blick auf Westeuropa vorübergehend von »Eurosklerose« die Rede war – wie mag das erst russischen Ohren geklungen haben? Die Oligarchie wird Gorbatschow daran messen, ob die Sowjetunion im 21. Jahrhundert jene Weltmachtrolle behaupten kann, die sie im 20. Jahrhundert unter ungeheuren Anstrengungen und Opfern errang. Dies ist heute Lebensfrage des Marxismus-Leninismus und der Sowjetunion, morgen aber die ihres Imperiums.

Für den Westen muß alles dies Ausgangspunkt einer Politik sein, welche nicht Gefühle bestimmen, sondern das aufgeklärte Selbstinteresse. Eine Reihe von Fragen verlangt unterdessen Antworten. Sucht Gorbatschow nach außen Stabilität, um für den Umbruch im Innern Entlastung zu gewinnen, oder geht jene Politik weiter, die die Entspannung kalt beendete? Will die Sowjetunion die Europäische Gemeinschaft als ökonomische Grundlage der NATO bekämpfen, oder will sie mit Westeuropa zusammenarbeiten? Ist das »gemeinsame europäische Haus« ein Hegemonialkonzept gegen Amerika, oder meint es politische Stabilisierung mit Amerika?

Sind Rüstungskontrolle nach außen und Lockerung der Parteidiktatur im Innern nur Dekoration, oder gehören sie zur Substanz des Neuen Denkens? Niemand weiß heute zu sagen, wie der vorauseilende kulturelle Umbruch – »Diktatur des Gewissens« heißt ein Moskauer Theaterstück, das die »Diktatur des Proletariats« nicht preist – zusammenstimmen soll mit der hilflosen ökonomischen Doktrin: Märkte ohne die Wahrheit des Preises. Endlich stellt sich für die Deutschen die Frage, ob jener Schlüssel der Deutschen Frage bewegt werden kann, der seit 1945 in Moskau liegt.

Die Zukunft der Sowjetunion bleibt der Geschichte Rußlands verhaftet, wo geistliches und weltliches Schwert immer eins waren, Pluralismus immer Abweichung, Opposition immer Verrat, die Polizei immer der Staat, der Staat stets Herr des wirtschaftlichen Lebens und Stalin nicht Abweichung von der Revolution, sondern Vollendung der asiatischen Despotie. Gorbatschow wird nicht Peter sein, nicht Alexander II. und nicht Lenin. Und er muß doch, um zu reüssieren, von jedem etwas borgen: die Westorientierung, die wirtschaftliche Mobilisierung, die Kraft der Revolution. Der Westen braucht darob nicht in Enthusiasmus zu versinken und nicht in Abwehr zu erstarren. Es ist die Zeit für ein großes Quidproquo: Ohne außenpolitische Zurückhaltung, wirksame Rüstungskontrolle und Achtung der Menschenrechte im Osten fehlen für dauerhafte Kooperation des Westens Moral und Logik.

Ein erweiterter Sicherheitsbegriff ist notwendig, der alles dies umfaßt und dazu die Aufgaben der Zukunft jenseits von Eindämmung und Abschreckung: Bevölkerungsexplosion, Energiemangel, Umweltzerstörung. Sie können in absehbarer Zukunft Ost und West mehr entzweien als je zuvor. Deshalb müssen sie beizeiten Ost und West verbinden wie nie zuvor.

Am Ende zählen nicht gute Absichten, sondern Taten und Fakten. Daran allein ist Gorbatschow zu messen.

Altes Rußland, Neues Denken? Was am Ende stärker ist, hängt auch vom Westen ab.

41. Kanadische Kopfschmerzen

Was Kanada verbindet, sind zweihundert Jahre Geschichte, das britische Rechtsdenken und gemischte Gefühle gegenüber den Vereinigten Staaten von Amerika. Was Kanada gegenwärtig trennt, sind das Handelsabkommen mit der Regierung in Washington und das Verteidigungsweißbuch der Regierung in Ottawa. Beide werfen Fragen auf, deren Antworten weit in das nächste Jahrhundert reichen – und weit über den Atlantik.

Seit dem British North America Act vor 120 Jahren, der Kanada in den Dominion-Status und in weitgehende Selbstregierung entließ, haben sich die Kanadier nicht mehr so nachdrücklich der Frage ausgesetzt gefühlt, was das gewaltige, menschenleere Land sein soll und sein will: historische Nation in Unabhängigkeit von den Vereinigten Staaten, atlantische Brücke zu Westeuropa und Faktor der Weltpolitik – oder nur die langgezogene nördliche Randprovinz der imperialen Republik im Süden. »Je me souviens« heißt der ominöse Wahlspruch des Bundeslandes Québec, der auf zwei Jahrhunderte frankophoner Bitternis im englischsprachigen Staatsverband anspielt. Und dieses »Ich erinnere mich« gilt für das ganze Land.

Man hat es nicht vergessen, daß Kanada entstand als Loyalistenlager gegen die abtrünnige Kolonie von 1776, daß man sich danach fünfzig Jahre lang gegen den Süden militärisch vorzusehen hatte und daß man gegen kulturelle Dynamik und wirtschaftliche Übermacht der Vereinigten Staaten bis heute in der Defensive steht: Dem dienen das bundesstaatliche Verfassungsgefüge, der Wohlfahrtsstaat und der besondere Staatsprotektionismus der industriellen Crown Corporations. Sich zu erinnern gehört zur kanadischen Suche nach dem eigenen Standort.

Es ist des Landes nicht der Brauch, sich ohne Not auf Neuerungen und Reformen einzulassen. Unbekannte Ufer suchen die Kanadier gewöhnlich im Großen Norden, nicht im politischen Süden. Wenn die Tory-Regierung Mulroney, deren Anfangspopularität dahinschwand wie der letzte Schnee unter der kanadischen Juni-Sonne, mit ihrer Wirtschafts- und Sicherheitspolitik neue Wege geht, dann tut sie es unter dem Zwang der Umstände. Kanada will die Außenbedingungen seiner Existenz, so gut es geht, auch in Zukunft beherrschen. Wirtschaftlich ist das nicht möglich ohne die Societas leonina mit den USA; sicherheitspolitisch nicht ohne Truppenstationierung in Westeuropa und Beherrschung der angrenzenden Meere.

Man fürchtet in Ottawa weniger die Dynamik der US-amerikanischen Wirtschaft als ihre Schwäche und den Protektionismus, der daraus entstehen kann. Kanada bleibt – weit vor Japan – wichtigster Handelspartner der USA. Zugleich aber fürchten viele, das am 7. Dezember paraphierte Freihandelsabkommen bedeute nur eine Flucht nach vorn. »Ausverkauf« sagen die Liberalen, »Satellitisierung« die Sozialdemokraten.

Einige der Provinzen fühlen sich schon jetzt überfahren. Wird denn, wenn es mit den USA Streit gibt, die vorgesehene Schlichtung funktionieren? Wird der alte »Auto Pact« – er sichert Zollpräferenzen zwischen beiden Ländern für die Automobilindustrie – gestärkt oder geschwächt? Ist die Schaffung eines einheitlichen kontinentalen Energiemarktes für Kanada ein Gewinn oder ein Verlust? Was am Ende dieser die Nation tief entzweienden Debatten steht, ist ungewiß. Freilich ist das Regierungsargument nicht leicht zu entkräften, daß man die Welle reiten muß, um nicht von ihr mitgerissen zu werden.

Das Verteidigungsweißbuch vom 5. Juni stützt sich auf ähnliche Grundgedanken wie der Handelsvertrag. Es will nicht Rückkehr zum Status vor 1970, als die liberale Regierung Trudeau den einzigen kanadischen Flugzeugträger verkaufte, die Truppenstationierung in Deutschland halbierte und den Anteil der Verteidigung an den Staatsausgaben auf zwei Prozent reduzierte. Heute sieht man die Entspannungshoffnungen der siebziger Jahre enttäuscht. Neutralismus oder einseitige Abrüstung sind kein Ausweg: »Für Kanada gibt es keine Bedrohung von außen, die nur dieses Land treffen würde. Auf sich allein gestellt, kann Kanada seine eigene Sicherheit nicht garantieren.«

So will Ottawa seinen eigenen Beitrag leisten, um nicht nur in der NATO mitzusprechen, sondern auch das Verhältnis zu den USA im Gleichgewicht zu halten: einerseits Selbständigkeit, andererseits Zusammenarbeit im nordamerikanischen Luftabwehrsystem, bei der U-Boot-Überwachung und in der NATO. Die Anschaffung von zehn nukleargetriebenen Unterseebooten hat politisch den Sinn, vom amerikanischen Schutz weniger abhängig zu sein.

In Europa will man die Kräfte dort konzentrieren, wo sie jetzt schon sind: am Oberrhein. Die Abschreckung bleibt für die Kanadier unteilbar: »Versagt sie in Europa, versagt sie auch überall sonst.« Auf der einen Seite stehen strategische Abschreckung und glaubwürdige konventionelle Verteidigung, auf der anderen Seite friedliche Beilegung internationaler Konflikte und wirksame Rüstungskontrolle. Angelpunkt ist die nationale Souveränität.

Sicherheit und Wirtschaft Kanadas können nicht bleiben, wie sie heute sind. Diese Hypothese verbindet Handelsvertrag und Weißbuch. Was den Kanadiern Kopfschmerzen bereitet, kann den Europäern nicht gleichgültig sein. Denn daß Kanada wirtschaftlich und sicherheitspolitisch seine Rolle spielt als die zweite nordamerikanische Macht, das berührt deutsche und europäische Interessen.

V. Wie deutsch ist die Deutsche Frage?

42. Die Deutsche Frage muß europäisiert bleiben

Vierzig Jahre nach Potsdam: Gibt es Lehren der Geschichte?

Das Jahr 1945 bildet eine Epochengrenze der Geschichte, vergleichbar nur dem Jahr 1648 nach den Krisen und Kriegen des 17. Jahrhunderts. Damals entstand das europäische Mächtesystem, die modernen Staaten bildeten sich, und Europa schickte sich an, sein Bild von Mensch und Zeit zum Weltentwurf zu machen. Dreihundert Jahre später war alles vorbei: Europa durch einen neuen dreißigjährigen Krieg tödlich erschöpft. Amerikaner und Russen trafen sich an der Elbe. Die Atombombe veränderte die Strategie und das Verhältnis von Krieg und Zivilisation.

Welche Lehren bieten der lange Anlauf der deutschen Nationalgeschichte im 19. Jahrhundert, ihr kurzer Triumph und ihre Höllenfahrt im 20. Jahrhundert? Als Besitztum auf immer wollte Thukydides die Geschichte des Peloponnesischen Krieges schreiben. Es wäre unwürdig der Deutschen und für die Politik verderblich, wenn die Erinnerung dieser Dramen verloren wäre und damit die politische Erfahrung. Drei Folgerungen bleiben gültig:

1. Was die Deutsche Frage anlangt, so bezeichnet sie durch alle Veränderungen Europas und der Welt bis heute den geometrischen Ort, an dem sich die Macht über Europa entscheidet. Deutschland liegt in der Mitte des Kontinents; wer

171

Deutschland kontrolliert, hat Anwartschaft auf europäische Vormacht. Als diese Tatsache von Jalta bis Potsdam 1945 zwischen die Sieger trat, waren alle Übereinkünfte über »Deutschland als Ganzes« und die künftige Gestalt der Welt in den Sand geschrieben. Das Deutsche Reich war dahin, die Deutsche Frage war geblieben. Sie stellte sich als Machtfrage zwischen den Großmächten. In der ersten Berlin-Krise 1948/49 blieb es bei der Teilung Deutschlands, es kam nicht zu einem dritten Weltkrieg.

2. Die Idee der »freien Hand« war vom Auswärtigen Amt in Berlin um die Jahrhundertwende entwickelt worden. Sie entstand aus der Illusion, Ost und West blieben immer verfeindet und unfähig, die Reichsgründung zu revidieren. Sein »Cauchemar des coalitions« hatte den ersten Reichskanzler bestimmt, seit 1871 vom Deutschen Reich die Folgen seiner Gründung abzuwenden durch konservative Innenpolitik und ein Bündnissystem, das geniales Fragment blieb. Er hatte als letzter der europäischen Staatsmänner, wie George F. Kennan schrieb, noch eine Vision der europäischen Friedensordnung. Aber Bismarcks Alpdruck geriet den Wilhelminischen Eliten zur militärischen »Einkreisung«, die die Deutschen doch am meisten sich selbst zuzuschreiben hatten.

Für die Weimarer Staatsmänner von Rathenau bis Stresemann und Brüning versprach die Entzweiung zwischen West und Ost die Chance neuer Großmachtbildung. So kam das Paria-Bündnis mit den Sowjets zustande. So wurde auch die Bollwerkfunktion möglich, die das Deutsche Reich für England und Amerika erfüllen sollte und doch nicht erfüllte. Denn Hitler hat die Zwischenexistenz im Ost-West-Gleichgewicht nicht weitergeführt, sondern gesprengt: moralisch, militärisch und politisch. Kein Weg führt zu Zielen und Illusionen deutscher Politik vor Hitler zurück.

3. Souveränität als freie Entscheidung zwischen den Mächten war Traum des Fürstenstaats im 18. Jahrhundert und Triebkraft der Selbstzerstörung der Nationalstaaten des 19. Jahrhunderts. Seit 1945 ist souverän allein, wer über Nuklearwaffen verfügt, und auch diese Souveränität ist begrenzt. Deutsches Streben nach Neutralität und Unabhängigkeit in Europas Mitte

wäre beides: Weg zurück in die Objektrolle der Weltpolitik und stärkste Klammer für das Kondominium der Mächte. Die Bundesrepublik wird Teil des atlantischen Seebundes und der westeuropäischen Gemeinschaft sein – oder gibt sich selbst preis. Darin liegt, auf Entscheidung und Extrem gestellt, das Element der Staatsräson.

Denn die Existenz dieses Staates beruht auf beidem: auf dem Interesse der Sieger von 1945, Deutschland weder sich selbst noch dem Gegner im Weltbürgerkrieg zu überlassen, und auf der Wertentscheidung des Grundgesetzes für die liberale Demokratie. Das Zeitalter der Nationalstaaten ist vorbei. Schon der Erste Weltkrieg hat es geschlossen. Diese Erfahrung zu vergessen ist den Deutschen am wenigsten gestattet. Erben des Alten Reiches, der Reformation und des Dreißigjährigen Krieges, waren wir einst mit und ohne unseren Willen die europäischsten der Europäer, und wir müssen es wieder sein. Gäbe es darüber den geringsten Zweifel, so belehrte jeder Blick auf die Karte des Kontinents, daß Sicherheit, Wohlstand und Ansehen dieses Landes zu einem großen Teil geborgt bleiben von Westeuropa und von der Gegenküste des Atlantiks. Der Westen ist unentbehrlich für die Bundesrepublik: Ihre Stärke liegt darin, daß auch das westliche Deutschland unentbehrlich ist für den Westen. Ohne das Land zwischen Rhein und Elbe, so ist Präsident Truman zu zitieren, wäre die Verteidigung Westeuropas nur ein Nachhutgefecht auf den Stränden des Atlantischen Ozeans.

Bedeutet dies, daß die Nation vorbei ist, Nachricht aus der Vergangenheit? Geschichte und Geographie relativierten den Nationalstaat, aber für Westeuropa blieb er bis heute Gehäuse kollektiver Identität und politischer Kultur. Doch er konkurriert mit den größeren Verbänden, die Sicherheit, Prosperität, Technik und Wissenschaft den Rahmen leihen. Den Deutschen wäre die Nation vermutlich weniger bedeutsam, wäre sie nicht geteilt. Und selbst mit der Teilung wäre leichter zu leben, stünde nicht auf der anderen Seite die kommunistische Parteidiktatur.

Für die Selbstbestimmung haben die Deutschen, nicht nur platonisch, alle Sympathien ihrer Verbündeten. Auch die Helsinki-Schlußakte hilft den deutschen Interessen. Ob aber Insistieren auf staatlicher Wiedervereinigung der kleindeutschen Nation in der Realität des geteilten Kontinents etwas anderes ist als ein Beunruhigungsfaktor und hinter dem Entwurf des vereinigten Westeuropa etwas anderes als ein Fragezeichen, das muß in Zukunft wieder neu durchdacht werden. Der »Brief zur deutschen Einheit« vom 21. Dezember 1972 bildet eine Brücke von der Präambel des Grundgesetzes zur Ost- und Deutschlandpolitik seit 1970. Das Wort von der künftigen europäischen Friedensordnung muß gelten, und zugleich müssen wir wissen, daß es nicht bloß einen Weg unter mehreren bezeichnet, sondern eine elementare Bedingung deutscher Politik – und daß es uns und den Nachbarn eine Versicherung sein soll gegen die Sprengkraft, die in der Deutschen Frage immer lag.

Es ist in diesem Zusammenhang auch daran zu erinnern, daß es Konrad Adenauer war, der 1958 sondierte, ob die Sowjetunion gegen Anerkennung ihrer Kriegs- und Nachkriegsgewinne bereit sein könnte, für die DDR eine Österreich-Lösung zuzugestehen: Selbstbestimmung nach innen, begrenzte Souveränität nach außen. Wenn es richtig ist, was seit Adenauer jeder Politiker von Rang in der Bundesrepublik sagt, daß dies nicht mehr die Zeit der Nationalstaaten sei, dann ist die Brücke zwischen den Ufern des Atlantiks wichtiger, dann ist ein handlungsfähiges Westeuropa existentiell notwendig. Denn nur so können auf absehbare Zeit die getrennten Teile der deutschen Nation mehr erhoffen als den Zustand des im Modus vivendi disziplinierten Antagonismus. Grenzen nicht verschieben, sondern sie verändern, das ist noch auf lange Zeit das vornehme und bescheidene Ziel der Deutschlandpolitik.

Was bleibt von alledem als Richtschnur der Zukunft? Die Adenauer-Entscheidung für den Westen beruhte auf elementaren Werthaltungen und Interessenlagen der Mehrheit der Deutschen. Sie nutzte das Gewicht der Deutschen Frage, um Sicherheit, Prosperität und Souveränität für die Besiegten zu gewinnen, zuerst im Westen, aber später, so hofften viele, auch im Osten. Sie war gegen die Last der Geschichte gerichtet und doch am stärksten mit ihr gedacht.

Hat sie die deutsche Teilung vertieft oder gar unausweichlich gemacht? Ihre Gegner behaupteten das damals und heute wieder. Stalins Angebot von 1952 sei die Stunde gewesen, da die Einheit noch einmal greifbar wurde um den Preis der Neutralität. Was aber geschah wirklich? Mitten im Korea-Krieg wollte Stalin die wirtschaftliche und militärische Integration Westeuropas verhindern, die Bundesrepublik ins Wanken und Wackeln bringen und unter die Deutschen im Westen den Dolch werfen. Welche Einheit wäre da möglich gewesen? Welche Freiheit sollte es von Stalins Gnaden geben? »Timeo Danaos et dona ferentes«: Die Sowjetunion macht keine Geschenke.

Überwindbar ist der Riß, der seit 1944/45 durch Deutschland geht, wenn nicht alle Erfahrung trügt, allein im Verbund mit den westlichen Nachbarn und gewiß nicht gegen die Sowjetunion. Es gilt die Voraussetzung, daß die Deutsche Frage europäisiert bleiben muß. Denn der Ort der deutschen Geschichte, mitten in Europa, bezeichnete in der Vergangenheit und er bezeichnet noch für alle absehbare Zeit auch ihre erste Bedingung.

Kann man aus der Geschichte lernen? Die Sprengkraft der Deutschen Frage ist, seitdem von 1944 bis 1948 das Nachkriegssystem entstand, eingedämmt, aber nicht auf alle Zeit dahin. Das ist den Nachbarn oftmals schärfer bewußt als den Deutschen, jedenfalls im Westen. Wir brauchen die Erinnerung, damit die Erfahrung lebt. Wir brauchen aber auch europäische Horizonte, um die Deutsche Frage in Zukunft politisch und moralisch zu transzendieren. Das ist unseren Nachbarn oft zu wenig bewußt. »Was einst Jubel und Jammer war, muß nun Erkenntnis werden« – was Jacob Burckhardt vor hundert Jahren schrieb, kann wohl auch für das Jahr 1945 gelten und für das, was angesichts der Deutschen Frage für die Europäer heute und morgen daraus folgt.

43. Berlin: Die weltpolitische Rolle bleibt

»Why are we in Berlin?« Die Frage wird in Washington gestellt und nicht nur dort. Mehr als 40 Jahre nach Kriegsende, mehr als 25 Jahre nach dem Bau der Mauer sind die alten Antworten revisions- und ergänzungsbedürftig. Wo liegen Chancen und Grenzen konstruktiver Veränderung auf alliierter Seite und auf deutscher?

»Ich hab' noch einen Koffer in Berlin...« – lang ist es her, daß man dies hörte, traurig und ein wenig ratlos, was mit besagtem Objekt zu geschehen habe. Solche Ratlosigkeit erstreckte sich auch auf die Frage, wie es denn weitergehen solle in Berlin: einst preußische Haupt- und Residenzstadt, dann Metropole des Kaiserreichs, der Republik und der Diktatur, seit 1945 Schauplatz des globalen Konflikts und Ort seiner politischen Zähmung.

Die belagerte Stadt hat ihr Gleichgewicht wiedergefunden, das durch Mauerbau, Studentenunruhen und wirtschaftliche Sorgen angeschlagen war. Unverändert spiegelt indes die Situation in und um Berlin den Zustand der Ost-West-Beziehung, im Guten wie im Bösen, und dies wird sich nicht so bald ändern.

Es spricht für die Tragfähigkeit des Vier-Mächte-Abkommens von 1971, daß seitdem große Krisen vermieden wurden. Mit Gelassenheit ist heute darüber nachzudenken, welches die bleibenden Sicherungen Berlins sind. »Why are we in Berlin?« Die Frage stellt sich Amerikanern, sobald sie einen Blick auf die Landkarte Mitteleuropas werfen, wo die Lage des Sommers 1945 in einem Punkt wie sistiert erscheint: im Vier-Mächte-Status von Groß-Berlin. In der Tat, warum sind sie in Berlin: Amerikaner, Briten und Franzosen? Die einfachste Antwort gilt noch immer: durch den Sieg über die Wehrmacht und die Besetzung Deutschlands.

Zeit und Geschichte indes fügten neue Antworten hinzu. Zweimal versuchte die Sowjetunion, durch Druck auf Berlin den globalen Status quo zu verändern. Als 1948/49 die Rote Armee die Zugangswege sperrte, erwiesen sich die Überlebenden des Dritten Reiches in Berlin als standfeste Demokraten. Aus der Bomberarmada der Amerikaner wurde eine Transportflotte für Kohle und Babynahrung, Backsteine und Bücher. Zwischen den Vereinigten Staaten und der Sowjetunion schlug die Stunde der Wahrheit. Berlin wurde Katalysator des Konflikts. Zu den Wirkungen zählte die Entstehung der Bundesrepublik Deutschland.

Ein Jahrzehnt später wollte der Kreml die Stadt zu einem Teil der DDR machen und diese als Staat konsolidieren. Das erste Ziel wurde verfehlt, das zweite erreicht. Die drei »essentials« des Westens blieben – Präsenz der Schutzmächte, freier Zugang und Bindung an die Bundesrepublik. Die SED baute mit der Mauer dem Freiheitswillen der Deutschen ein schreckliches Hemmnis und ein ungewolltes Denkmal. Und als die Weltmächte in der Kuba-Krise 1962 in den Abgrund schauten, wurde die Entspannung geboren, das Kind von Schrecken und Vernunft.

Was immer die Deutschen seitdem erhofften, Entspannung war niemals Aufhebung des Antagonismus, sondern immer nur neuer Modus. Er half, durch das Vier-Mächte-Abkommen 1971 den politischen Konflikt vertraglich zu überbrücken. Wenngleich nicht einmal der Name des Vertragsgegenstands einvernehmlich zu bestimmen war, hat sich das Verfahren bewährt. Der Vertrag öffnete die Tür für den Grundlagenvertrag von 1972, und beide bestimmen Grenze und Chance der Deutschland-Politik seitdem. Diese ist auch, und vielleicht am meisten, Berlin-Sicherungspolitik.

In Berlin war es möglich, das Konfliktmanagement weiterzuführen, während rundum das Klima kalt wurde. Berlin diente als Frühwarnsystem für Turbulenzen und Krisen und zugleich als Schauplatz vorsichtigen Ausgleichs. Aber man soll sich nicht täuschen. Für die Sowjetunion war Berlin immer Anfang vom westeuropäischen Reißverschluß; für den Westen immer die Sicherheitsnadel, die alles zusammenhält – und beides gilt bis heute. Denn der Grundgegensatz bleibt unverändert. Das gemeinsame Interesse indes, ihn zu beherrschen, gehört zu den unausgesprochenen Voraussetzungen aller Abmachungen, die bis heute getroffen wurden. Als Treuhänder der deutschen Nation stehen sie in Berlin, sagen die Amerikaner in einer klugen, alte Legalität und gewachsene Legitimität verbindenden Formulierung.

Man wird die Lage nutzen müssen, um die Lebenskraft der Stadt zu stärken und zugleich alles zu tun, um den Ost-West-Konflikt in Berlin und um Berlins willen zu überwölben. Ein stärkeres Engagement der Europäischen Gemeinschaft in der Stadt wurde früher angeregt, dann auf die lange Bank geschoben und allzulange nicht mehr angemahnt. Es sollte nicht bei Gesten und Symbolen bleiben. Dauernde Aktivitäten und Institutionen sind gefragt.

Zum zweiten wird es Zeit, der »Berlin peace initiative« des amerikanischen Präsidenten vom 11. Juli 1982 Substanz zu geben. Reagan schlug damals vor, die Rüstungskontrolle dauernd zu institutionalisieren. Er tat es in Berlin. Warum sollte die Stadt nicht in der Tat – ihr östlicher Teil müßte einbezogen sein – in Ergänzung zu Wien und Genf Ort dieses Konfliktmanagements werden?

Ungeduld ist heute spürbar, in Berlin und im Blick auf Berlin. Sie kann Nachdenken nicht ersetzen. Die Lage der Stadt ist Teil eines gordischen Knotens, der auch die Deutsche Frage, die Teilung Europas und den Ost-West-Konflikt noch umfaßt. Alexander der Große zerhieb, so weiß die Legende, den Knoten, den niemand aufzulösen vermochte. Manche möchten heute Alexander spielen. Aber Ungeduld und Unkenntnis der Lage waren niemals gute Ratgeber. Gewicht und Verantwortung der drei Schutzmächte in Berlin können so wenig zur Diskussion stehen wie die Verankerung aller Deutschland-Politik in der atlantisch-europäischen Allianz. Da gibt es keine Verhandlungsmasse, sondern allenfalls Träumereien, die zuerst in Schieflagen führen und dann ins Verderben.

44. Europäische Optionen

Ceterum censeo: Die europäische Einigung ist am meisten ein deutsches Interesse; aber es sollten auch die westeuropäischen Nachbarn nicht vergessen, daß die europäisch-atlantische Einbindung der entstehenden Bundesrepublik Deutschland zu den Voraussetzungen ihrer Sicherheit gehörte – und gehört. Das bestimmt und begrenzt alle Politik.

In Jalta sagte 1945 Präsident Roosevelt, die Amerikaner würden in zwei Jahren Europa wieder verlassen. Doch Stalin konnte es nicht abwarten, und die Amerikaner blieben – ungeachtet der Warnung vor »entangling alliances«, die George Washington ihnen hinterlassen hatte. Nach 40 Jahren Eindämmung müssen die Europäer sich heute fragen, ob sie nicht am meisten selbst für ihre Sicherheit zu sorgen haben. Drei Szenarien stehen offen: eine Illusion, eine Schieflage und eine Aufgabe.

Zuerst die Illusion: Amerika werde die europäische Rolle der letzten 40 Jahre unverdrossen weiterspielen, ungeachtet des Zweifels, der die politische Klasse quer durch die beiden großen Parteien befiel, ungeachtet auch der Medien- und Massenstimmungen in Amerika und der Malaise der atlantischen Beziehungen, die in der Libyen-Krise Ausdruck fand. Hierzulande wurde wenig verstanden, daß nach Mansfield-Resolution und Nunn-Amendment jetzt die Budgetzwänge übermächtig werden und weitreichende politische Folgen für das atlantische Verhältnis haben. Den Gramm-Rudman-Budgetbremsen werden, da sie am Verfassungsgericht scheiterten, Ersatzmaßnahmen folgen.

Die hohe Priorität von SDI zusammen mit der geringen Meinung über europäische Loyalität gegenüber der Weltmacht können dazu führen, daß die amerikanische Präsenz in Europa dramatisch sinkt – ohne sowjetische Gegenleistung. Am 13. Mai empfahl Henry Kissinger in der »Washington Post« den Abzug aller für amerikanische Weltpolitik erforderlichen Truppen und Systeme, weil eben auf europäische Kooperation im Ernstfall nicht zu rechnen sei. Nicht nur die Meinungsäußerung des erfahrenen Außenpolitikers zählt, sondern noch mehr das Gewicht, das Pentagon und State Department ihr gaben. Zbigniew Brzezinski empfahl unlängst in »Foreign Affairs« den Europäern, ihre Sicherheit in die eigene Hand zu nehmen.

Als zweites die Schieflage: Sie soll mit jener »Europäisierung Europas« beginnen, die manche Vordenker der deutschen Sozialdemokratie empfehlen, und mit dem Mirakel enden, daß die Sowjetunion die Leninsche Mission vergißt, die Welt sicher zu machen für den Kommunismus. Dazwischen liegen ominöse Wegstationen. Dazu gehört die Reduzierung der Bundeswehr – und logisch wohl auch der übrigen NATO-Verbände hierzulande – auf »strukturelle Nichtangriffsfähigkeit«, vielleicht mit und vielleicht ohne Gegenleistung des Ostens. Dazu der SPD-SED-Abkommensentwurf über Chemiewaffen, der die Verhandlungsposition des westlichen Bündnisses unterläuft. Dazu die Konsultationen mit der SED über das Programm nach Godesberg. Und endlich auch das ideologische Spiel mit dem einäugigen Nachkriegs-Antifaschismus der Kommunisten für das Bild von Geschichte und Zukunft.

Wie will man die Dynamik solcher Ideen, einmal in der Mitte Europas entfesselt, wieder einholen? In ihrer Gesamtheit laufen sie, wie ein früherer Berater Helmut Schmidts öffentlich warnte, auf vorgreifende Kapitulation zu. Hier liegt der Grund der »incertitudes allemandes«, welche die Nachbarn heimsuchen. Es geht, ungeachtet aller Lippendienste für Europa, um die zeitgenössische Variante des verhängnisvollen deutschen Sonderwegs ohne den Westen, ja gegen den Westen.

Und endlich die Aufgabe: dem freien Westeuropa nach seiner kulturellen und wirtschaftlichen auch die politische und strategische Identität zu schaffen. Diese Aufgabe ist europäisch und atlantisch zugleich definiert. Denn wer allein europäisch denken wollte, würde wissend oder unwissend das Spiel Gorbatschows spielen, der gerne Hausherr sein möchte in seinem »europäischen Haus«. Wer aber allein atlantisch denken wollte, der könnte Europa nicht zusammenfügen.

Ein Europa, das Herr seines Schicksals sein will und sein

muß, hat keine andere Wahl, als sich auf das Nuklearpotential Frankreichs und Englands einzulassen, eine konventionelle Streitmacht darumzugruppieren und die Fähigkeit zu »erweiterter Luftverteidigung«, komplementär zu SDI, zu entwikkeln. Die Letztgarantie aber muß aus der »extended deterrence« Amerikas kommen, und sie muß in Europa nahe der Elbe verankert bleiben durch amerikanische Truppen.

Die Pax Americana einschließlich ihrer nuklearen Garantien war die Bedingung dafür, daß es nach dreißig Jahren Krieg und Bürgerkrieg in Europa noch einmal einen Aufstieg für die Länder westlich der Elbe gab. Heute brauchen wir die Pax Atlantica. Sie fordert den Amerikanern Teilung der Verantwortung ab in jenem »Zwei-Säulen-Konzept« Kennedys, an das heute so oft erinnert wird. Von den Europäern aber wird, wie zur Zeit Robert Schumans und Konrad Adenauers, die Kühnheit des Realismus verlangt.

Die Schlüsselbegriffe sind miteinander logisch und sachlich verbunden, und sie lauten: variable Geometrie der Institutionen, Verwirklichung der Luxemburger Beschlüsse für den großen Markt und die Währung, »espace technologique« einschließlich einer mit Amerika verbundenen, aber eigenständigen Raumfahrtpolitik – und eben vor allem die »zwei Pfeiler« in der NATO.

Das alles würde das atlantische Verhältnis auf den Fuß der Partnerschaft stellen und Europa auch Rolle und Kompetenz für Sicherheit und Rüstungskontrolle zuweisen. Niemand hat ein größeres Interesse, niemand aber hat auch mehr Verantwortung dafür als die Deutschen im freien Teil des Landes. Dafür bedarf es der Einsicht in die Lage, der Definition unserer Interessen und des Mutes, zu unseren Überzeugungen zu stehen.

45. Höfliche Distanz

Je mehr die Raketen-Krise in den frühen 80er Jahren zu einer Belastung des Ost-West-Verhältnisses wurde, desto stärker war das Interesse in Bonn, aber auch in Ost-Berlin, die Deutschlandpolitik weiterzuführen und pragmatisch zu vertiefen.

1983 war sie, wie Karl Kaiser einmal bemerkte, »the only show in town«. Das setzte sie zugleich Belastungen, Mißdeutungen und Versuchungen aus.

Die Mittel, um der Bonner Deutschlandpolitik im Westen die Grundlage und nach Osten die Wirkung zu nehmen, sind in drei Worten zu nennen: sonderbare Neben-Außenpolitik, linksnationale Mitteleuropa-Schwärmerei, Politik-Partisanentum gegen das atlantische Bündnis. Das Gesetz der Deutschlandpolitik ist Pragmatismus. Doch zu ihren Voraussetzungen zählen Wahrheit und Klarheit der Geschäftsbedingungen. Vor allem braucht sie ein knappes Gut: den Mut der Demokraten zu ihren Überzeugungen.

Deutschlandpolitik wäre verloren, wollte sie sich von der Wirklichkeit abwenden, die infolge des Zweiten Weltkrieges entstand und zu der auch die Teilung Europas zwischen atlantischem Bündnis und sowjetischem Militärimperium gehört. Die Verträge sind zu honorieren, die umstritten genug waren, und die ungeschriebenen Spielregeln zu achten. Diese Politik braucht Vertrauen zuerst und vor allem im Westen. Zugleich muß sie Berechenbarkeit nach Osten bieten.

Deutschlandpolitik wäre aber auch verloren, wenn ihr der Wille ausginge, die Teilung zu überwinden. Dieser Wille gehört zu den geistigen Fundamenten der Bundesrepublik Deutschland, die als Kernstaat in die Existenz treten konnte, weil sie das demokratische Haus der Deutschen war – und bis heute ist. Die Wertbindung an den Westen gehört mit der Bündnisbindung zusammen wie die europäische Einigung mit der Hoffnung, daß die Teilung nicht für immer sei. Seit 1959 steht die Deutschland-Frage nicht mehr auf der Tagesordnung der Ost-

West-Konferenzen. Das Viermächteabkommen über Berlin von 1971 und der Grundlagenvertrag mit der DDR von 1972 bedeuten, daß Deutschlandpolitik seitdem, so gut es geht, Bewältigung der Teilung ist, nicht Mittel ihrer Aufhebung.

Niemand weiß heute den Weg zu beschreiben zu jener europäischen Friedensordnung, die der »Brief zur deutschen Einheit« zweimal beschrieb, 1970 zum Moskauer Vertrag und 1972 zum Grundlagenvertrag, beide modifizierend und mit den Verfassungsgrundlagen der Bundesrepublik zusammenfügend. Aber eine Frage endet nicht deshalb, weil niemand die Antwort weiß.

Soll man die Präambel des Grundgesetzes von 1949 ändern und das Ziel der Einheit in Freiheit stornieren, privatisieren, vergessen – um des Seelenfriedens willen und um Ruhe zu haben auf dem linken Flügel? Das ist nicht einmal als Wunschdenken erträglich. Vom Parlamentarischen Rat über Artikel 7 des Deutschland-Vertrags und den »Brief zur deutschen Einheit« bis zum jüngsten »Bericht zur Lage der Nation« steht hinter der Vision einer europäischen Friedensordnung das Bemühen, das Vertrauen der Nachbarn zu gewinnen für einen Zukunftsentwurf, der die Bundesrepublik zweifach legitimiert: aus der deutschen Geschichte wie aus der europäischen Zukunft. Zwar gibt es den anderen Staat in Deutschland, und es fehlt ihm nicht an Effektivität, wie auch immer diese bewirkt sei. Aber er hat nicht die Legitimität durch freie Zustimmung der Bürger.

Es gibt einen zweiten Grund, und er liegt bei der SED. Von Ulbricht 1947 – »Vorwärts zum sozialistischen Deutschland!« – bis zu Honecker gibt es den sozialistischen Blick auf das Ganze. Er offenbart sich heute im unbefangenen Zugriff auf die Geschichte. Politisch war er niemals stumm. Der SED-Chef sagte 1981: Wenn einmal »die Werktätigen an die sozialistische Umgestaltung der Bundesrepublik Deutschland gehen, dann steht die Frage der Vereinigung beider deutschen Staaten vollkommen neu«.

Ob Deutschlandpolitik helfen kann, eine Ordnung jenseits der Abschreckung zu entwerfen? Die Frage öffnet weiterführende Perspektiven. Zugleich erweist sie die Leistung der Deutschlandpolitik. Denn es gibt hier Erfahrungen politischer

Pragmatik, die anderswo in der Welt nicht leicht zu machen sind. Es ist gelungen, den Macht- und Ideologiekonflikt wenigstens rechtlich zu begrenzen. Die Bundesrepublik vermochte wirtschaftliche Macht in politisches Verhandlungsgewicht zu verwandeln. Umweltprobleme wurden, wenn auch zaghaft, systemübergreifend angefaßt.

Solche Erfahrungen lassen sich nutzen, wenn Deutschlandpolitik, was längst not tut, Teil und Mittel abgestimmter westlicher Ostpolitik wird. Wichtiger als Bekenntnisse zu dieser oder jener Verantwortungsgemeinschaft – die nur auf eine schiefe Symmetrie hinauslaufen – bleibt die Europäisierung der Deutschen Frage. Sonst braucht man sich über eine künftige europäische Ordnung keine Gedanken mehr zu machen, sondern nur über die Trümmer der gegenwärtigen.

Die Deutschlandpolitik fährt in tiefen Gleisen. Sie kann sich von ihren Bedingungen in Geschichte und Geographie nicht lösen. Sie stehen zumeist nicht zur Disposition der deutschen Politik, nicht der in Bonn, noch weniger der in Ost-Berlin. Der nervösen Suche nach einfachen Rezepten steht die Tatsache entgegen, daß Deutschlandpolitik gebraucht wird, um die Lebensfähigkeit Berlins zu sichern, die Teilung politisch zu bewältigen und die Chance zu bewahren, in das sowjetische Militärimperium hineinzuwirken durch die Kraft der Demokratie, der Prosperität und der europäischen Einigung. Man kann die Uhren vorstellen, aber die Zeit geht davon nicht schneller.

Es gibt keine andere Lösung, wenn man den Konflikt zwischen freiheitlicher Demokratie und sozialistischer Diktatur unter Kontrolle halten und den davon existentiell betroffenen Menschen helfen will. Man darf mit dem Teufel Kirschen essen. Gefährlich wird es, wenn man anfängt, sich von ihm bekehren zu lassen.

46. Östlich von Straßburg

*Angesichts des in Reykjavik 1986 und in den Genfer Rüstungs-
kontrollverhandlungen aufscheinenden amerikanischen Unilateralismus und wachsender »incertitudes allemandes« mußte
Frankreich seine Sicherheitsinteressen neu bewerten und ordnen
– und tut es noch.*

Bei Ulm siegte Napoleon 1805 über die Österreicher, bei Au-
sterlitz triumphierte er über die Armee der Dritten Koalition.
In Niederbayern, auf halbem Weg zwischen Ulm und Auster-
litz, sollen im Herbst 1987 20 000 Mann der vor drei Jahren ge-
schaffenen »Schnellen Eingreiftruppe« (FAR, Force d'Action
Rapide) an den Manövern des II. Korps der Bundeswehr teil-
nehmen. War es anfangs NATO-Sorge, daß die FAR der europäischen Reserve entzogen würde, so bekräftigt diese Abma-
chung, daß die FAR Abschreckung im Mittelbogen der NATO
leistet. Kein Generalstäbler der Roten Armee kann heute die
Elitetruppen Frankreichs aus der NATO herausrechnen.
    Beiderseits des Rheins verändert sich etwas. Die gemein-
same Ausbildung hoher Generalstabsoffiziere kommt in Gang.
Nukleare Konsultationen sind vereinbart. Das III. französische
Korps, neuerdings mit dem Hauptquartier in Lille, soll im Norden die Reserve bilden. Die Masse der FAR-Luftlandetruppen
liegt in Nancy. Die Truppen zwischen Trier und Baden-Baden
decken weiterhin den Süden. Die Vorwärtsstationierung französischen Materials, die Reaktivierung der Versorgungslinien
und die Vorverlegung einzelner französischer Verbände bleiben Zukunftsaufgabe, noch mehr die großen technischen Ko-
operationen vom Kampfhubschrauber bis zur Fernaufklärung
und zum Raumfahrtsystem. Die Sowjets sollen wissen: Frankreichs Sicherheitszone umfaßt die Bundesrepublik.
    Dabei geht es nicht um Szenarien der Kriegführung, son-
dern um die militärischen Grundlagen politischer Konfliktbe-
wältigung. Während die SPD »strukturelle Nichtangriffsfähigkeit« fordert – mit östlicher Gegenleistung, aber vielleicht

auch ohne –, erfüllt die NATO längst politisch eine wichtige Bedingung für Stabilität und Frieden in Europa: Ungeeignet zum Angriff, heischt sie Respekt in der Verteidigung.

Frankreich denkt um. Seit 1945 legte das Land einen langen Weg zurück. Damals erstrebte General de Gaulle durch die »bonne et belle alliance« mit der Sowjetunion Kontrolle über das geteilte Deutschland und die innere Waffenruhe mit den Kommunisten. War dies der Weg zu Sicherheit und neuer Großmachtrolle?

In Jalta und Potsdam war für de Gaulle kein Platz. Die Westalliierten mußten enger zusammenrücken, um Frankreich in Deutschland eine Zone und in Berlin einen Sektor zu geben. Dort, in Indochina und Nordafrika, lernten die Franzosen, daß die Allianz mit Rußland nichts als eine Selbsttäuschung war. Je mehr sich indessen der Ost-West-Konflikt verschärfte, desto mehr Verhandlungsgewicht gewannen die Deutschen, und desto lauter forderten Kanadier und Amerikaner, deutsche Truppen müßten die Lücken der NATO-Verteidigung füllen.

Außenminister Schuman und Verteidigungsminister Pleven begriffen, daß die Kontrolle über Deutschland gescheitert war. Ihre schöpferische Antwort war wirtschaftliche und militärische Integration. Der politischen Rückversicherung jedoch diente bald die französische Nuklearwaffe: gegen amerikanische Rückzüge, deutsche Ungewißheiten und sowjetische Zumutungen. So half die Force de frappe, einen Souveränitätsrest in nationaler Verwahrung zu halten.

Die Entspannung verdeckte die Widersprüche dieser Position, und de Gaulle führte 1966 das Land aus der militärischen Integration der NATO. Deren Infrastruktur, auf die Tiefe Frankreichs angewiesen und auf die Häfen und Depots, erhielt einen Schlag. De Gaulle konnte dies tun, weil mit zwei Faktoren zu rechnen war: der Stabilität des NATO-Gefüges östlich von Lille, Metz und Straßburg und dessen Abdeckung durch amerikanische Fernwaffen. War das Hexagon wieder »Sanctuaire«, war Frankreich endlich Großmacht aus eigenem Recht?

Die sowjetischen SS-20-Raketen, die Panzermassen der Roten Armee und der Zerfall des deutschen Sicherheitskonsenses gaben eine schneidende Antwort. Der frühere Botschafter Frankreichs in Moskau und Bonn, Henri Froment-Meurice: »Die Bundesrepublik ist dem Druck der Sowjetunion am stärksten ausgesetzt, den die pazifistischen und antinuklearen Bewegungen mehr oder weniger bewußt fördern.« Vor der Bundestagswahl 1983 beschwor Präsident Mitterrand im Bonner Parlament Regierung und Wähler, zum NATO-Doppelbeschluß zu stehen. Willy Brandt war nicht amüsiert. Es geht heute um westeuropäische Innenpolitik und um Sicherung des atlantischen Gefüges, damit um Westbindung und Verläßlichkeit der Bundesrepublik. Die Geschichte blieb nicht stehen bei Schuman und Adenauer. Und doch ähnelt die heutige Konstellation der Lage, in der damals die Stunde Europas kam: Sowjetisches Hegemonialstreben und deutsche Ungewißheiten zwingen Frankreich, sich zu engagieren. Nur so können die Europäer in der Sicherheit Partner der Amerikaner sein und die Sowjetunion zu Mäßigung und Vernunft bewegen.

Die Geschichte, welche die Tragödien liebt, kennt auch die Ironie: Jene deutsche Linke, die mit dem Bären brummt, trägt unwillentlich dazu bei, daß Frankreich seiner politischen Räson folgt, europäisch handelt und das atlantische Gefüge nach Kräften stabilisiert.

47. Änderung der Tagesordnung?

Reicht es, um die Deutsche Frage zu lösen, sie wieder auf die Tagesordnung der großen Ost-West-Konferenzen zu setzen? Seit 1959 findet sie sich nicht mehr unter den Punkten der Tagesordnung – und leider mit Gründen.

Es sei, so sagte Englands Außenminister Lord Palmerston nach 1848/49, gegen die Idee der deutschen Einheit nichts einzuwenden, »außer daß niemand sie scheint zustande bringen zu können«. Heute liegt in ihr der Unterschied zwischen Demokratie und Diktatur, amerikanischem Seebund und russischem Landimperium, dem freien und dem unfreien Europa.

Reykjavik eröffnete den Blick auf die Denuklearisierung des Ost-West-Konflikts. Wie soll es aber in der Mitte Europas politisch Sicherheit geben, so wird seitdem aus der Union gefragt, ohne die Wiedervereinigung Deutschlands auf die Tagesordnung der großen Politik zu setzen? – Auf der sie, es ist wahr, seit dreißig Jahren nicht steht. Die Theorie: Wenn in der Teilung der Grund des Weltkonflikts liegt, so muß man, um diesen zu beherrschen, bei jener beginnen.

Aber ist das der Weg? Beginnen muß man mit der Frage, ob die Allianz der Weltmächte wegen Deutschland zerfiel oder ob die Teilung Ausdruck älterer Konflikte war, die 1945 wiederkehrten. Entstanden war der Gegensatz von Pax Sovietica und Pax Americana 1917/18. Lenin verhieß Weltfrieden durch Weltrevolution. Wilson versprach Weltfrieden durch Demokratie, Freihandel und nationale Selbstbestimmung.

Hitler war es, der die Flügelmächte erst zusammenführte und 1941 ihre Koalition bewirkte. Konnte dieses Bündnis aber den Sieg überleben? Roosevelts One-World-Vision kam aus dieser Hoffnung, aber sie forderte amerikanische Führung. Stalin unterwarf indessen, wohin die Panzer mit dem Sowjetstern kamen, das Land und die Menschen. Wieder ging es um die Frage, ob Lenin-Frieden oder Wilson-Frieden, doch nicht mehr in theoretischer Form.

Das Gegenstück zur deutschen Teilung war 1945 nicht, wie viele hofften, die Fortexistenz des Deutschen Reiches in geläuterter Form. In letzter Analyse kam die Teilung aus Bedingungen, die alt und neu zugleich waren: der alten Rolle Deutschlands als Schlüsselland Europas und dem neuen Kampf der Weltmächte um die Erbfolge des Deutschen Reiches. Da beide Seiten den Krieg fürchteten, wurde Deutschland geteilt. Die Existenz der nuklearen Waffen war es, die jeden Vorstoß der Sowjetarmee einem unkalkulierbaren Risiko aussetzte und zugleich den Vereinigten Staaten das Undenkbare ersparte, Mann gegen Mann und Rohr gegen Rohr zu setzen. So wurde unter der Bedingung des nuklearen Friedens Westeuropa rekonstruiert, entstand die Bundesrepublik Deutschland.

In der Form indirekter Sowjetisierung wäre nach 1945 die Einheit des Landes wahrscheinlich zu haben gewesen, unter der Bedingung der freiheitlichen Demokratie war sie es nicht. Bis 1961 hat man jeden Fortschritt der Deutschlandpolitik und der Ost-West-Beziehungen insgesamt am Ziel der Wiedervereinigung messen wollen – und im Schutz dieser Formel Westintegration gesucht und gefunden. Nach dem österreichischen Staatsvertrag sondierte Adenauer indessen bei den Sowjets, ob eine große Lösung möglich wäre: eine Art Österreich-Status für die DDR gegen Anerkennung aller Kriegsgewinne der Sowjetunion. Der letzte Deutschlandplan der SPD, entwickelt in der zweiten Berlin-Krise, suchte in Neutralisierung des Ganzen die rettende Formel; auch das vergeblich.

Statt dessen folgte auf Berlin- und Kuba-Krise aus Furcht und Vernunft die weltpolitische Entspannung. Dies aber hieß, daß auf der internationalen Tagesordnung nicht mehr die Revision der deutschen Teilung stand, sondern der Modus vivendi. Teil und Mittel der Entspannungspolitik, versucht die Deutschlandpolitik seit 20 Jahren, Schritt für Schritt die Kriegs- und Teilungsfolgen zu mildern und die Gefahren der Teilung einzugrenzen. Sie aufzuheben liegt auf absehbare Zeit jenseits ihrer Reichweite.

Die Deutsche Frage trägt von jeher einen falschen Namen: Eigentum der Deutschen war sie nie. Die alte Gestaltungsfrage des europäischen Systems wurde 1945 Entscheidungsfrage des globalen Systems. Wer es ernst damit meint, eine neue Antwort zu geben, der sollte es in Kenntnis der Kräfte tun, die damit in Bewegung geraten – und niemand weiß, zu welchem Ende: die Sicherheitsfrage des Sowjetimperiums, die westeuropäische Einigung, das atlantische Bündnissystem, und inmitten all dessen die Staatsräson der Bundesrepublik und ihre Geltung unter den Deutschen.

Diese Verhältnisse ins Tanzen zu bringen ist den Deutschen nicht unmöglich. Versuche neutralistischer, pazifistischer und nicht zuletzt sozialistischer Provenienz gab es und wird es wieder geben. Die Verhältnisse aber, einmal ins Tanzen gebracht, im Takt zu halten, und dies mitten im Umbruch des nuklearen Systems, das wird bald unberechenbar.

Dem Wiedervereinigungsauftrag des Grundgesetzes können sich die Deutschen nicht entziehen, ohne Schaden zu nehmen an ihrer Seele und an der Republik. Aber die weltpolitischen Bedingungen und Folgen der Deutschen Frage zu vergessen ist auch nicht erlaubt. Das deutsche Interesse stellt vorerst drei Aufgaben: das wirtschaftliche Gewicht der Bundesrepublik *für* das freie Europa einzusetzen, *durch* Europa ihre politische Verwundbarkeit aufzuheben und *mit* Europa die Ost- und Deutschlandpolitik zu entwickeln.

48. Nukleare Sicherheit und Deutsche Frage

Würde ein Genfer Verhandlungserfolg bei den Mittelstrecken-systemen das atlantische Verhältnis unverändert lassen und damit die Verankerungen, in denen die Deutsche Frage ruht?

Die hypothetische Form der Politik ist ihre einfachste, aber auch ihre gefährlichste. Daß sich die deutsche Öffentlichkeit Gorbatschows Kopf zerbricht, wie und wann die deutsche Einheit auf die Tagesordnung zu setzen sei, spricht nicht für Erinnerungsvermögen und politische Klugheit.

Und doch entbehrt es nicht der inneren Logik, daß mit den nuklearen Garantien für die Bundesrepublik Deutschland auch die Frage der deutschen Einheit wieder in Bewegung gerät. Man hat verdrängt und vergessen, was doch das *factum brutum* der Lage ist. Die geostrategische Asymmetrie zwischen sowjetischem Landimperium und atlantischem Seebund wurde von Anfang an und wird bis heute durch nukleare Machtprojektion ausgeglichen, und die exponierte Lage Berlins ist ohne erweiterte Abschreckung nicht zu halten. Die gegenwärtigen Antworten auf die Deutsche Frage gelten nur so lange, wie die nukleare Verfassung des westlichen Systems hält. Denn der Schlüssel zur Sicherheit der Bundesrepublik liegt in Washington, der Schlüssel zur deutschen Wiedervereinigung aber in Moskau.

Es sind Elemente dreier deutschlandpolitischer Szenarien, welche heute ins Fach der hypothetischen Politik fallen: Stalins Versuch von 1952, die westeuropäische Integration der Bundesrepublik zu durchkreuzen; der Rapacki-Plan von 1957; endlich die Piemont-Rolle, welche die SED ihrem Staat zudenkt. Es lohnt, die Implikationen für heute zu prüfen.

Die Stalin-Note vom 10. März 1952 ist Ausgangspunkt eines »zählebigen Mythos« (Wilhelm Grewe) geworden, ja einer schwarzen Legende. Der Mythos: Stalin habe ein bündnisfreies, bewaffnetes, demokratisches, wiedervereinigtes Deutschland gewollt, sofern nur die Bonner Politik auf die Westintegration zu verzichten bereit gewesen wäre, die 1952 auf dem Spiel stand. Die Wirklichkeit dagegen: Minimale Chancen – maximales Risiko.

Der polnische Außenminister Rapacki machte 1957, als die »massive Vergeltung« als Strategie des Westens revidiert wurde und die NATO-Divisionen außerhalb Deutschlands taktische Gefechtsfeldwaffen und Mittelstreckenraketen erhalten sollten, vor der UNO-Vollversammlung den Vorschlag, in der Mitte Europas eine Zone begrenzter und kontrollierter Rüstung zu schaffen.

Vordergründig ging es darum, die Stationierung nuklearer Waffen in der Bundesrepublik zu verhindern – der Verzicht auf den Besitz von ABC-Waffen gehörte 1954 schon zu den Voraussetzungen der militärischen Westintegration der Deutschen. Im Hintergrund aber stand der sowjetische Versuch, die antinuklearen und pazifistischen Strömungen im Westen zu verstärken, indem eine atomwaffenfreie Zone in Mitteleuropa propagiert wurde. Zugleich galt es, der Neutralisierung Deutschlands vorzuarbeiten, den eigentlichen NATO-Bereich auf die atlantischen und mittelmeerischen Küstenzonen zu verdünnen und damit die Abschreckung statt an der Elbe an der Maas beginnen zu lassen. Disengagement-Projekte im Westen (Gaitskell, Kennan) folgten, doch bevor sie reiften, setzte das Ultimatum Chruschtschows die zweite Berlin-Krise in ihren bedrohlichen Gang.

Das dritte Szenario konnte Gewicht erst gewinnen seit dem Berliner Mauerbau, der zwar innerlich die DDR nicht stärkte, aber äußerlich befestigte. Seit 25 Jahren hat die SED-Elite ihre Stellung konsolidiert. Der Grundvertrag gab ihr Ansehen nach Westen, die polnische Krise wirtschaftliches und politisches Gewicht nach Osten. Sie ist Inhaber realer Macht. Die langfristige Strategie ist die Piemont-Rolle, welche die ahistorische und von den Menschen in der DDR niemals hingenommene Idee der zwei Nationen seit einem Jahrzehnt beiseiteschiebt. Der Anerkennung und Festigung der DDR sollen die Lösung der Bundesrepublik aus der Pax Americana und die innere Zerbröselung der NATO folgen – denn Auflösung des westlichen Bündnisses wäre dramatisch und gefährlich. Die nukleare Frage wird so zum Ansatz, die Verankerungen der Deutschen Frage zu lösen.

Mit allen drei Szenarien wird gespielt. In Moskau las man kürzlich von autoritativer Seite, die Deutschen seien *eine* Nation, wiewohl in zwei Staaten lebend, und es wurde die Verantwortungsgemeinschaft der fortschrittlichen Deutschen für den Frieden in Europa gelobt. Wer weiß, was hier »Frieden und Fortschritt« bedeuten, wird dies nicht beruhigend finden. Aber ein ernsthaftes Einheitsangebot? Das würde nicht nur die DDR destabilisieren, es würde auch die polnische Krise von neuem entzünden. Polen 1981 ohne Sowjetdivisionen westlich davon: ein Alptraum für die Sowjets.

Nein, eine neue Stalin-Note steht nicht zu erwarten, eher die Fortsetzung von Rapacki mit anderen Mitteln und durch eine gestärkte DDR. Denn man sollte bemerken, daß der Kreml längst die deutsche Karte spielt. Die SS-20-Rüstung war nicht von Anfang an ein politischer Fehler, sondern wurde es erst durch die NATO-Nachrüstung und die deutsche Festigkeit.

Das Ziel bleibt, die Mittel wechseln: Die Denuklearisierung der Mitte Europas und die Verbreiterung des Atlantiks sollen die Bundesrepublik vom Westen lösen, zu vorgreifenden Kapitulationen einladen und das europäische Schachbrett schiefstellen. Es wird Kraft und Mut brauchen, die beiden Schlüsselfragen Europas zusammenzuhalten: die Deutsche Frage und die nukleare Sicherheit.

49. Vor den deutsch-französischen Manövern an der Donau

»Kecker Spatz – Moineau hardi« hießen jene deutsch-französischen Großmanöver, die im September 1987 französische Truppen der FAR (Force d'Action Rapide) und der 1. Französischen Armee zusammen mit Teilen des II. deutschen Korps an der Donau zusammenführten. Das signalisierte nicht nur eine neue Qualität des französischen Bündnisengagements, sondern erstreckte auch dessen Reichweite östlich der Ailleret-Linie Würzburg-München.

Der Fragebogen, den das Magazin der »Frankfurter Allgemeinen Zeitung« kultiviert, lädt ein zu Betrachtungen über die am meisten zu bewundernde militärische Leistung. Warum nicht General de Gaulle 1944? Er befahl den französischen Truppen, gegen den Willen des alliierten Oberkommandierenden Eisenhower, auf Paris zu marschieren, fand das stille Einverständnis des dortigen Wehrmachtbefehlshabers von Choltitz und erreichte, daß die Stadt weder zerstört wurde noch den Kommunisten zufiel.

Aber gewann Frankreich dadurch wieder Handlungsfähigkeit aus eigenem Recht? Alle französische Politik seitdem bleibt auf Sicherheit durch jene Großmachtrolle gerichtet, welche Geschichte und Geographie dem Hexagon seit 1914 verweigern. Die »bonne et belle alliance« de Gaulles mit Rußland gegen Deutschland suchte im Dezember 1945 Sicherheit im 19. Jahrhundert. Als aber der General nach der Potsdamer Konferenz im Weißen Haus vorsprach, mußte er lernen, daß sie allein im 20. Jahrhundert zu finden war: Kein linkes Rheinufer für Frankreich, kein Anteil an der Ruhrbesetzung, dafür die Versicherung, Amerikas Nuklearwaffe werde Frankreich schirmen.

Sowjetisierung Osteuropas und *containment* der Amerikaner rückten Frankreich auf die Seite des Westens, mit seiner inneren Verfassung nicht anders als mit seinen auswärtigen Interessen. Als Amerika das westliche Deutschland garantierte, schloß dies auch das westliche Europa und damit Frankreich ein. Der Marshall-Plan ersparte es den Franzosen, auf ihrem Pfund Fleisch von der Ruhr zu bestehen. Ruhrstatut und Montanunion gaben Paris ökonomisch Mitsprache, die Stationierung französischer Truppen ein Stück Machtprojektion östlich der Vogesen und der Ardennen. Die Integration der Bundeswehr in den Nordatlantikpakt sicherte Frankreich gegen die Gegenwart der Sowjetunion und – das wichtigste *sous-entendu* – gegen die Vergangenheit des Deutschen Reiches.

Seit 1944 ruhten Sicherheit und Machtstatus Frankreichs auf dem Interesse der angelsächsischen Mächte an der europäischen Gegenküste, der Annullierung von 1940 durch 1945, der Westbindung der Deutschen und der Behauptung des Kolonialimperiums durch alle Wechselfälle der Geschichte. Die Grenzen erfuhr Paris, zusammen mit London, in der Suez-Krise 1956, als die Weltmächte durch ihr Veto beendeten, was als Verwahrung der alten europäischen Großmächte gegen ihren Déclassé-Status begonnen hatte. Frankreichs Antwort wurde die nukleare Force de frappe und damit dreifache Rückversicherung: gegen sowjetische Drohungen, amerikanische Rückzüge, deutsche Ungewißheiten. Auch lag in der nuklearen Souveränitätsgeste das moralische Gegengewicht zum Niederholen der Trikolore in Indochina, Nordafrika und anderswo. Erkauft durch konventionelle Schwäche, ruhte die nukleare Macht Frankreichs auf zwei Gewißheiten, die seit einiger Zeit es nicht mehr sind: der Präsenz befreundeter Truppen östlich von Straßburg und deren Abschirmung durch die Nuklearwaffen der befreundeten Großmacht. Frankreich brauchte nichts zu tun, als sich in Reserve zu halten.

Im Schatten solcher Gewißheit bot de Gaulle zuerst 1963 der Bundesrepublik durch den Elysée-Vertrag ein privilegiertes Verhältnis an, das psychologisch den Deutschen und politisch den Franzosen helfen sollte. Aber Bonn blieb spröde, weil man am Rhein im Dünkirchen-Komplex des Generals die Gefahr der sich selbst erfüllenden Prophezeiung erkannte und damit der amerikanischen Abkoppelung. Zu den Folgen gehörte 1966 Frankreichs militärische Distanzierung von der NATO. Die Entspannung verführte den General zu der Idee, das NATO-Adieu von Fontainebleau sei folgenlos zu haben.

In einer von Karl Kaiser und Pierre Lellouche herausgegebenen Analyse deutscher und französischer Forschungsinstitute kann man jetzt die Bilanz dieser Politik nachlesen. Die nukleare Planung der NATO ging technisch und strategisch andere Wege als die Frankreichs. Der Elysée-Vertrag blieb militärisch unausgefüllt. Es gab Ansätze militärisch-technischer Zusammenarbeit und gemeinsamer Beschaffung, aber sie stagnierten bald: Viel guter Wille, manche vergebliche Mühe.

Die »relance« kam, als sowjetischer Druck in der Raketenkrise und »incertitudes allemandes« Frankreich vor die Frage stellten, wo die Sicherheit des Landes beginnt und wo sie endet. Als Staatspräsident Mitterrand am 20. Januar 1983 im Bundestag für die Nachrüstung sprach, begann ein Engagement, welches auf das Lebensinteresse beider Nationen antwortete. Seitdem sucht Frankreich, im Namen des »destin commun« die Deutschen festzuhalten. Die militärtechnische Kooperation kommt voran. Der Streit um SDI wurde nicht zum Sprengsatz, sondern half dazu, die gemeinsame Raumfahrtpolitik zu intensivieren, gestützt auf die gemeinsame technische Basis. Frankreich erfährt in der Hochtechnologie die Grenzen seiner finanziellen und wirtschaftlichen Leistungsfähigkeit, die Bundesrepublik lernt eine neue europäische Rolle: Verantwortung ohne Großmacht.

Das Engagement Frankreichs ist groß, die konventionelle Zusammenarbeit mit den NATO-Stäben ist besser als jemals seit 1966, und selbst die Infrastruktur der Häfen und Bahnen steht nicht mehr außerhalb aller Überlegungen. Im September dieses Jahres werden gemeinsame Manöver an der Donau das Rapprochement überaus sichtbar darstellen: zur Verlobung die Verlobungsanzeige.

Aber die Abschreckungsrolle des Landes für die Verteidigung an der Elbe bedarf auch der Vornestationierung einer Streitmacht, mehr als ein Verteidigungsstab und weniger als eine Division, die Frankreich vom ersten Moment an in die Abschreckung einbezieht.

Die Summe aller Einzelheiten: Die französische Nuklearstrategie der »letzten Warnung« flößt führenden Militärs der Gruppe »Renouveau Défense« (FAZ vom 14. Juli 1987), die angesichts des Militärprogramms 1987–91 ihre Bedenken formulierten, kein Vertrauen mehr ein. Das Szenario der zwei Entscheidungen, die erste an der Elbe und die zweite am Rhein, erscheint längst fragwürdig. Die Unterscheidung »prästrategischer« und strategischer Nuklearwaffen hält realistischer Prüfung nicht stand. Die französische Strategie seit 1966 wollte Souveränität gewinnen: Jetzt begreift man die Gefahr, den Frieden zu verlieren.

In dieser Zeit des Übergangs ist vieles möglich, aber nicht alles. Die Grenzen liegen zum einen in der Letztentscheidung des französischen Präsidenten über den Einsatz der konventionellen Streitkräfte einschließlich der Force d'Action Rapide; zum anderen in Strategie und Einsatzplanung der nuklearen Kräfte. Denn es scheint, daß dieselben Faktoren, welche Frankreich ins Engagement ziehen, das Land auch daran hindern, sein Schicksal in fremde Hände zu geben.

Grenzen sind auch sichtbar in den zwei großen Genfer Fragen: Abrüstung im Mittelstreckenbereich und Einbeziehung, früher oder später, des französischen Nuklearpotentials als mögliches Tauschobjekt gegen sowjetische Kurzstreckenraketen. Das kann die Europäer untereinander entzweien, zu Differenzen zwischen Bonn und Paris führen und die atlantischen Beziehungen belasten, und deshalb muß man beizeiten vorbauen. Ohne daß man das französische Ministerwort vom »europäischen München« übernehmen muß, wird man doch die französische Distanz erst zu Reykjavik und dann zu der Genfer Null-Lösung ernst zu nehmen haben. Manche Motive, welche Bonn für den Genfer Kompromiß einnehmen, stellen Frankreich dagegen.

Grenzen sind endlich jedem Bemühen gesetzt, Frankreich in die formelle militärische NATO-Bindung zurückzuholen, das französische nukleare »sanctuaire« vertraglich auf die Bundesrepublik auszudehnen, in *extremis nuclearis* die Entscheidung zu teilen oder sie – *qua* zweitem Schlüssel – einem deutschen Veto zu unterstellen. Deutsche Politik, die die französische Geschichte kennt, wird Schritt für Schritt gehen und es vermeiden, mit der Tür ins Haus zu fallen. Entscheidend bleibt, daß die Idee des »destin commun« nach innen Substanz hat durch wirtschaftliche, politische und technologische Verflechtung und daß nach außen Frankreichs Abschreckung auch für die Bundesrepublik zählt. Innerhalb dieser Grenzen muß man arbeiten und weiterkommen. Jenseits davon warten erst Illusionen und dann Trennungen.

Es war General de Gaulle, der vor 20 Jahren in seinem letzten Gespräch mit Malraux sagte: »Es handelt sich nicht mehr darum, ob Frankreich Europa erschafft, es gilt zu begreifen, daß es selber tödlich bedroht ist durch den Tod Europas.« Der Anfang vom Ende der schönen Illusionen liegt, so mag es erscheinen, in der Raketenkrise. In Wahrheit aber begann er, als in Potsdam 1945 ein amerikanischer Diplomat Stalin zu seinem Triumph beglückwünschte, in Berlin zu stehen. Die Antwort des Herrschers aller Reußen, nach gründlichem Nachdenken, war düster: »Zar Alexander kam bis Paris.«

50. Gute alte Zeit? Böse alte Zeit?

Vor 100 Jahren starb am 9. März der erste Deutsche Kaiser, Wilhelm I., siebter König von Preußen. Zeitlebens hatte er sich an die Flucht erinnert vor Napoleons Armeen. Er hieß 1848 der »Kartätschenprinz« und präsidierte, altersweise und respektiert, über Bismarcks Politik, böse Ahnungen mitunter nicht verbergend. Ihm folgte Friedrich III., der Architekt des liberalen Deutschland sein sollte und Repräsentant einer neuen Generation und es doch nicht konnte und nach der Agonie von 100 Tagen starb.

Eintrat Wilhelm II., Imperator Rex zum letzten Mal, begabt und unberechenbar, fasziniert von der neuesten Technokratie und vom ältesten Gottesgnadentum, ein Mann für viele Rollen außer der schwierigsten von allen, der seinen. Kurz bevor er im holländischen Exil starb, erlebte er noch den Überfall der Wehrmacht auf die Niederlande.

Harte, kaum zu verarbeitende Übergänge, Krise und Ungleichzeitigkeit des Gleichzeitigen: Mit Wilhelm I. verabschiedete sich das alte Deutschland des Adels und des Ackers. Mit Wilhelm II. stieg das Deutschland der Aktiengesellschaften, der Naturwissenschaften, der Weltpolitik auf. Es gehörte zu den Dissonanzen der Zeit, daß der Monarch mit Formen und Farben des Großen Kurfürsten und des großen Friedrich spielte und daß längst die organisierten Interessen die Politik in die Hand nahmen; daß im ländlichen Deutschland die Fideikommisse blühten und im städtischen Deutschland Industrie und Banken ins Gigantische wuchsen; daß Finanz- und Bildungsbürgertum triumphierten, während die großen intellektuellen Aufhebungen der bürgerlichen Welt längst im Gange waren: von Marx bis Nietzsche, von Wagner bis zu Sigmund Freud. In Thomas Manns Erfolgsbuch »Buddenbrooks«, Roman einer Patrizierfamilie, ließ sich das Bürgertum von seinem eigenen Niedergang faszinieren.

Es gibt keinen Grund, die Rolle der drei Monarchen des Jahres 1888 als historisches Faktum zu ignorieren; es gibt auch keinen Grund, die Analyse der Politik bei ihnen beginnen und enden zu lassen. Was aber das »Drei-Kaiser-Jahr« dramatisch vor Augen führte, als ein einundneunzigjähriger Kaiser starb und ein Achtundzwanzigjähriger ihm folgte, war der Zusammenstoß zweier Generationen mit ihren unvereinbaren Instinkten, ihren Ängsten und ihren Hoffnungen. Und damit wurde das Berliner Drama jenes Jahres Teil des größeren deutschen Dramas.

Von heute betrachtet, steht das Kaiserreich im Schatten des Weltkriegs, der ersten Republik, der Diktatur, der Zerstörung und Selbstzerstörung des Nationalstaats in der Mitte Europas. Die Zeitgenossen indessen maßen ihr Erleben an der Erfahrung von Eltern und Großeltern. Die Löhne stiegen, die Vermögen wuchsen. Die Herrschaft über die Natur erweiterte sich jeden Tag. Die Horizonte des Wissens wurden jeden Tag von neuem überschritten.

Nach Wertschöpfung, Investitionen und Beschäftigtenzahl rückte in dem Jahrzehnt von 1885 bis 1895 die Industrie vor die stagnierende Landwirtschaft, aber nichts expandierte so stark wie der tertiäre Sektor der Banken und Versicherungen, der Verwaltung und des Bildungswesens. Niemals war so viel Aufbruch, niemals so viel Untergang. Jugendbewegung, Neue Sachlichkeit, abstrakte Malerei veränderten die Begriffe des Richtigen und des Wirklichen. Vielleicht waren die Massenstreiks im Bergbau, im Mai 1889, wichtiger als Bismarcks Sturz, im März 1890; Hauptmanns »Weber« wichtiger als die kaiserlichen Hurrah-Reden; die Nichtverlängerung des Sozialistengesetzes im Frühjahr 1890 wichtiger als die des Rückversicherungsvertrages mit Rußland im Herbst desselben Jahres.

Es waren Zeiten der Entgrenzung. Das galt für die Kunst, wo das Unsagbare auf dem Theater sagbar wurde, für die Wissenschaft und noch mehr in der Innenpolitik, wo die Interessengruppen einander und die Obrigkeit weitgehend blockierten. Am meisten galt es für die Außenpolitik, wo der expandierende Industriestaat in der Weltwirtschaft sein Heil suchen mußte und wo das europäische Mächtesystem, das der Wiener Kongreß 1814/15 begründet hatte, endgültig und unentrinnbar in ein neues Weltmächtesystem überging: Rußland und die

Vereinigten Staaten Weltmächte der Zukunft und Japan in schnellem Aufstieg.

Das Deutsche Reich suchte im Schlachtflottenbau nicht nur innenpolitische Stärkung, sondern auch einen Ausweg aus den mitteleuropäischen Zwangslagen – und fand doch nur, zur französisch-russischen Entente, den Konflikt mit dem British Empire.

Was immer die Historiker über die Entfesselung des Großen Krieges und die Verantwortung dafür früher zu sagen wußten und, gründlich verändert, heute zu sagen wissen – 1914 bleibt die »Urkatastrophe unseres Jahrhunderts« (George F. Kennan). Man wird unter allen Erklärungen diejenige nicht geringachten dürfen, die die widersprüchlichste und schwierigste bleibt und die der Dichter Stefan Zweig (»Die Welt von gestern«) beisteuerte: »Wenn man heute ruhig überlegend sich fragt, warum Europa 1914 in den Krieg ging, findet man keinen einzigen Grund vernünftiger Art und nicht einmal einen Anlaß. Es ging um keine Ideen, es ging kaum um die kleinen Grenzbezirke; ich weiß es nicht anders zu erklären, als mit diesem Überschuß an Kraft, als tragische Folge jenes inneren Dynamismus, der sich in diesen 40 Jahren Frieden aufgehäuft hatte und sich gewaltsam entladen wollte ...«

Gute alte Zeit? Böse alte Zeit? Man braucht dieser Vergangenheit nicht jeden Tag den Prozeß zu machen. Es reichen, alles in allem, gemischte Gefühle.

Erklärung häufig verwendeter Abkürzungen

ABM-
Vertrag
Anti Ballistic Missile Treaty
der USA und der Sowjetunion im Rahmen des
SALT-Prozesses, 1972.

IISS
International Institute for Strategic Studies,
London.

INF
Intermediate Range Nuclear Forces:
nukleare Mittelstreckenraketen der Reichweiten 1000–5000 km.

KSZE
Konferenz für Sicherheit und Zusammenarbeit
in Europa:
1973 in Helsinki eröffnete Konferenz von 32
europäischen Staaten, dem Vatikan, den USA
und Kanada.

KVAE
Konferenz für Vertrauensbildung und Abrüstung in Europa, 1984–1985.

NPT
Non Proliferation Treaty,
Treaty on the non-proliferation of nuclear weapons:
Vertrag über Nichtweitergabe von Nuklearwaffen, unterzeichnet 1968, seit 1970 in Kraft
(Frankreich und die Volksrepublik China traten
nicht bei).

SALT
Strategic Arms Limitations Talks:
1969–1979. Der Vertrag SALT I umfaßt den
ABM-Vertrag (1972) mit Zusatzprotokoll 1974
und ein Interimsabkommen. SALT-II-Rüstungsbegrenzungsvertrag 1979 unterzeichnet,

nicht ratifiziert, jedoch weitgehend von beiden Seiten beachtet. Geltungsdauer bis 1985.

SDI Strategic Defense Initiative
seit 1983. Strategische Verteidigungsinitiative der USA.

SRINF Shorter Range INF: nukleare Mittelstreckenraketen der Reichweiten 500–1000 km.

SS-20-Raketen Surface-Surface (Boden-Boden)-Raketen.

START Strategic Arms Reduction Talks:
Verhandlungen zwischen den USA und der Sowjetunion über nuklearstrategische Waffen (zentrale Systeme), seit 1982, mit Unterbrechungen bis heute.

TNF Theatre Nuclear Forces:
ältere Bezeichnung für INF. Neuerdings auch für Nuklearwaffen kurzer Reichweite.

Übersetzung der Zitate

Jean-Marie Soutou, 1985 (hier Seite 5):

Wir alle brauchen ein Nationalbewußtsein der Deutschen, das stabil sein sollte, aufrecht, rein, selbstsicher, ohne Befangenheit wie ohne Arroganz, von ruhiger Klarheit. Wir brauchen es aus den folgenden Gründen:
– um den Aufbau Europas fortzusetzen;
– um solidarische und vertrauensvolle Beziehungen zwischen den Vereinigten Staaten und Europa in dem für beide Seiten lebensnotwendigen Bündnis aufrechtzuerhalten und zu stärken;
– um Europa endlich mehr Verantwortung für alle Belange seiner Sicherheit übernehmen zu lassen, wodurch es sich von der Einschätzung befreien würde, nur ein weißer Fleck im weltpolitischen strategischen Gleichgewicht zu sein – eines Gleichgewichts, das es kaum noch etwas anzugehen scheint, außer daß die Drohung schrecklicher Verwüstungen auch über Europa hängt;
– um mit größtmöglichem Erfolg den Ländern Europas helfen zu können, die nicht Herr ihres Schicksals sind, hierin eingeschlossen der östliche Teil Deutschlands;
– um mit der UdSSR echte und offene Beziehungen herzustellen, die es erübrigten, daß die Westeuropäer meistbietend um die Gunst Moskaus rivalisieren, und um eine gemeinsame Politik der Öffnung und der Festigkeit gegenüber den Sowjets zu vertreten. Eine solche Politik ist nicht nur das Gebot unseres, des Atomzeitalters, auf die Dauer wird auch nur sie bei der öffentlichen Meinung in den westlichen Demokratien Un-

terstützung finden. Die einzige Politik überdies, welche – ohne größere Krisen oder Zerwürfnisse im westlichen Lager auszulösen – die ebenso komplexe wie schmerzliche Situation des geteilten Deutschland zu bewältigen hilft.

Henry Kissinger: »The White House Years« (hier Seite 11):

In zwei Kriegen besiegt, behaftet mit dem Makel der Nazi-Vergangenheit, um abgetrennte Gebiete verkleinert und geteilt, war Deutschland, Westdeutschland, eine Wirtschaft auf der Suche nach politischem Daseinszweck. In Bonn gab es nichts, was dem britischen Selbstbewußtsein – erwachsen aus jahrhundertelanger politischer Kontinuität und imperialer Größe – vergleichbar gewesen wäre.

Register

Veröffentlichungsnachweis

1. Zeichen und Wege politischer Herrschaft, in: Frankfurter Allgemeine Zeitung – FAZ –, 17.10.1987.

2. Nach dreißig Jahren Staub und Moder. Die Kunst des Friedenschließens, in: FAZ, 30.4.1985.

3. Lehren aus einem Staatsbesuch, in: FAZ, 13.6.1985.

4. Blaue Blumen, rote Nelken. Politische Traumreisen, in: FAZ, 9./10.11.1985.

5. Dissonanzen des Fortschritts. Was die neuen Technologien für Bildung und politische Kultur bedeuten, in: FAZ, 14.12.1985.

6. Energie: Die Rechnung ohne die Wirklichkeit (ursprünglich: Rechnung ohne die Wirklichkeit. Zur Debatte über die Kernkraft), in: FAZ, 8.7.1986.

7. Tauroggen, in: FAZ, 30.12.1987.

8. »Gemeinsame Sicherheit« – Vergangenheit und Versprechen des Elysée-Vertrags, in: FAZ, 22.1.1988.

9. Friedloser Frieden, in: FAZ, 3.3.1988.

10. Wem wird die deutsche Geschichte gehören?, in: FAZ, 3.8.1985.

11. Wie vergangen ist Locarno?, in: FAZ, 12.12.1985.

12. Kein Weg nach Rapallo, in: FAZ, 17.4.1986.

13. Geschichte in geschichtslosem Land, in: FAZ, 25.4.1987.

14. Kälte im August, in: FAZ, 13.8.1986.

15. Was Geschichte wiegt, in: FAZ, 26.11.1986.

16. Ein Bündnis fast durch Zufall, in: FAZ, 11.3.1987.

17. Lernen aus der Geschichte?, in: FAZ, 2.5.1987.

18. Eindämmung und die Deutschen, in: FAZ, 6.6.1987.

19. Versuchung der Mitte. Gedanken zum Rückversicherungsvertrag von 1887, in: FAZ, 13.6.1987.

20. Söhne und Väter, in: FAZ, 1./2.8.1987.

21. Schmerzliche Geschichtsstunde, in: FAZ, 19.9.1987.

22. Europa und der Raketenschild, in: FAZ, 1.4.1985.

23. Die Deutschen in Genf, in: FAZ, 7.5.1985.

24. Sowjetische Machtprojektion, in: FAZ, 24./25.8.1985.

25. Frieden im ideologischen Zeitalter, in: FAZ, 7.10.1985.

26. Die Sicherheit versichern, in: FAZ, 14./15.12.1985.

27. Unerwünschte Optionen, in: FAZ, 20.1.1986.

28. Abkoppelung: Thema mit Variationen, in: FAZ, 13.5.1986.

29. Nach der Entspannung: Zeit für Bilanzen, in: FAZ, 7./8.6.1986.

30. Strategie mit anderen Mitteln, in: FAZ, 10.2.1987.

31. Drei Null-Lösungen, in: FAZ, 16.2.1987.

32. Ruhig nachdenken, in: FAZ, 2.7.1987.

33. Bauern ohne Deckung? Raketenschach und Bündnisinteressen, in: FAZ, 25.7.1987.

34. Lehren einer langen Krise, in: FAZ, 14.10.1987.

35. Festigkeit, um Wandel zu ermöglichen. Gesucht: Ein neuer Harmel-Bericht, in: FAZ, 12.12.1987.

36. Kanada: Schmerzliche Entscheidungen, in: FAZ, 11.2.1986.

37. Östlich von Suez, in: FAZ, 25. 6. 1986.

38. Amerika und die deutsche Erbfolge, in: FAZ, 6. 9. 1986.

39. Kanadas atlantisches Mandat, in: FAZ, 15. 1. 1987.

40. Neues Denken, altes Rußland, in: FAZ, 9. 4. 1987.

41. Kanadische Kopfschmerzen, in: FAZ, 15. 12. 1987.

42. Die Deutsche Frage muß europäisiert bleiben. Vierzig Jahre nach Potsdam: Gibt es Lehren der Geschichte?, in: FAZ, 26. 7. 1985.

43. Berlin: Die weltpolitische Rolle bleibt, in: FAZ, 7. 3. 1986.

44. Europäische Optionen, in: FAZ, 23. 7. 1986.

45. Höfliche Distanz, in: FAZ, 17. 10. 1986.

46. Östlich von Straßburg, in: FAZ, 2. 10. 1986.

47. Änderung der Tagesordnung?, in: FAZ, 28. 3. 1987.

48. Nukleare Sicherheit und Deutsche Frage, in: FAZ, Teilauflage 18. 5. 1987.

49. Vor den deutsch-französischen Manövern an der Donau, in: FAZ, 27. 8. 1987.

50. Gute alte Zeit? Böse alte Zeit?, in: FAZ, 9. 3. 1988.

Michael Stürmer

Dissonanzen des Fortschritts
Essays über Geschichte und Politik in Deutschland
338 Seiten. Geb.

Vierzig Jahre nach Kriegsende erinnern sich die Deutschen wieder einer
Angelegenheit, welche die Nachbarn nie vergaßen: der Deutschen Frage als
Problem der Gestaltung Europas und der Rolle der Deutschen darin. Zwischen
Patriotismus und Neutralismus – wohin treibt das deutsche Nationalgefühl, und
wohin wird es getrieben?
Was folgt aus der jüngeren europäischen Geschichte für die Bundesrepublik
Deutschland? Was hat es mit dem so verführerischen wie gefährlichen
»deutschen Sonderweg« auf sich? Was bedeutet heutzutage
Geschichtsbewußtsein?
Ist aus der Geschichte nur zu lernen, daß nichts aus ihr gelernt wird? Der Autor
plädiert dafür, die europäischen Bedingungen deutschen Daseins und Denkens
endlich zu einem Hauptthema des politischen Diskurses zu machen. Es geht um
politische und historische Standortbestimmung.

Vom gleichen Autor liegt vor:

Bismarck

Die Grenzen der Politik
123 Seiten mit 9 Abbildungen. Serie Piper 5224

In diesem Buch zeichnet Michael Stürmer ein ungewohntes Bild Bismarcks: statt
Reichsgründer, Eiserner Kanzler und Zauberlehrling ein Fremder im eigenen
Haus.

Herbst des Alten Handwerks
Meister, Gesellen und Obrigkeit im 18. Jahrhundert
360 Seiten mit 12 Abb. Serie Piper 515

»Michael Stürmer hat Texte aus ganz Europa gesammelt und liefert eine knappe
und außerordentlich kenntnisreiche Einführung.«

Stuttgarter Zeitung

PIPER

Serie Piper aktuell

Franz Alt
Frieden ist möglich
Die Politik der Bergpredigt. 119 Seiten. Serie Piper 284

Klaus von Bismarck / Günter Gaus /
Alexander Kluge / Ferdinand Sieger
Industrialisierung des Bewußtseins
Eine kritische Auseinandersetzung mit den »neuen« Medien
227 Seiten. Serie Piper 473

Die gespeicherte Sonne
Wasserstoff als Lösung des Energie- und Umweltproblems. Hrsg. von Hermann
Scheer. Mit Beiträgen von Wilfrid Bach, Reinhard Dahlberg, Joachim Gretz, Henry
Kalb, Konstantin Ledjeff, Harry Muuß, Joachim Nitsch, Rolf Povel, Hermann Scheer,
Helmut Tributsch, Werner Vogel und und Hartmut Wendt.
301 Seiten mit 52 Abbildungen. Serie Piper 828

Hildegard Hamm-Brücher
Der Politiker und sein Gewissen
Eine Streitschrift für mehr parlamentarische Demokratie
174 Seiten. Serie Piper 437

»Historikerstreit«
Die Dokumentation der Kontroverse um die Einzigartigkeit der
nationalsozialistischen Judenvernichtung
Texte von Rudolf Augstein, Karl Dietrich Bracher, Martin Broszat, Micha Brumlik,
Walter Euchner, Joachim Fest, Helmut Fleischer, Imanuel Geiss, Jürgen Habermas,
Hanno Helbling, Klaus Hildebrand, Andreas Hillgruber, Eberhard Jäckel, Jürgen
Kocka, Robert Leicht, Richard Löwenthal, Christian Meier, Horst Möller, Hans
Mommsen, Wolfgang J. Mommsen, Thomas Nipperdey, Ernst Nolte, Joachim Perels,
Hagen Schulze, Kurt Sontheimer, Michael Stürmer, Heinrich August Winkler.
397 Seiten. Serie Piper 816

PIPER

Serie Piper aktuell

PIPER

Serie Piper aktuell

John Bowle

Geschichte Europas
Von der Vorgeschichte bis ins 20. Jahrhundert
Aus dem Englischen von Hainer Kober. 720 Seiten. Serie Piper 424

Dieses Werk des Oxforder Historikers ist eine umfassende, ungemein spannend erzählte Darstellung der Geschichte Europas in einem Band, für die es auf dem deutschen Markt kein zweites Beispiel gibt. Gestützt auf eine Fülle von Quellenmaterial und reiche Literaturkenntnis gelang Bowle eine meisterhafte Beschreibung der miteinander verwobenen Strömungen der verschiedenen Kulturen Europas. Wir erleben die stete Wechselwirkung von Politik und Kultur. So entfaltet sich vor unseren Augen das ganze Spektrum der europäischen Geschichte von prähistorischer Zeit bis hin zur neuzeitlichen Entwicklung von Nationalstaat und Demokratie nach der industriellen Revolution. Bowle endet seine Darstellung mit dem Jahr 1939.

»Bowles Fähigkeit, anschaulich und engagiert Tatsachen und Zusammenhänge zu verdeutlichen, der trockene Witz seiner historischen Porträtkunst, die Entschiedenheit des Urteils, aber auch die keineswegs nur den Deutschen geltende Skepsis machen sein Werk in einer Zeit ›maschinenseliger Neobarbarei‹ vor allem als Einführung junger Menschen in die Geschichte so wichtig.
Denn seine ›Geschichte Europas‹ ist nicht nur beschauliche Lust an Altem und Anekdotischem, ein Karneval der Kuriositäten, ein Führer zu großen Kunstwerken, eine Entdeckungsreise zu fernen und fremden Kontinenten der Zeit, sondern ebenso und vor allem ein Memento der Macht: Erinnerung an Versäumtes, Abrechnung mit blinden Gewalten und verblendeten Gewalthabern, Mahnung für die Zukunft, die einem Kontinent gilt, der einst der Welt die Gesetze gab und jetzt nur noch die Klinken- und Schuhputzer der Supermächte zu stellen scheint.«

Der Spiegel

PIPER

Bücher zur Zeitgeschichte

Uwe Backes / Karl-Heinz Janßen / Eckhard Jesse
Henning Köhler / Hans Mommsen / Fritz Tobias
Reichstagsbrand – Aufklärung einer historischen Legende
Mit einem Vorwort von Louis de Jong und einem Nachwort
zur Taschenbuchausgabe. 332 Seiten. Serie Piper 785

Karl Dietrich Bracher
Die totalitäre Erfahrung
274 Seiten. Kt.

Karl Dietrich Bracher
Zeitgeschichtliche Kontroversen
Um Faschismus, Totalitarismus, Demokratie. 159 Seiten. Serie Piper 142

Martin Broszat / Elke Fröhlich
Alltag und Widerstand – Bayern im Nationalsozialismus
702 Seiten. Serie Piper 678

Raymond Cartier
Vom Ersten zum Zweiten Weltkrieg
1918–1939. Aus dem Franz. von Ulrich F. Müller.
652 Seiten mit 205 Abbildungen und 15 Karten. Geb. im Schuber

Raymond Cartier
Der Zweite Weltkrieg
Aus dem Franz. von Max Harries-Kester, Wolf D. Bach und Wilhelm Thaler,
unter wissenschaftlicher Beratung von Hellmuth Dahms, Hermann Weiss
und Wolfgang Kneip. 1322 Seiten, 462 Abbildungen und 55 Karten. Serie Piper 280

Raymond Cartier
Nach dem Zweiten Weltkrieg
Die internationale Politik von 1945 bis heute. Zusätzliches Kapitel von
Christine Zeile. Aus dem Franz. von Wilhelm Thaler, unter wissenschaftlicher Beratung
von Lutz Ziegenbalg. 1170 Seiten mit 160 Abbildungen und 23 Karten. Geb.

PIPER

Bücher zur Zeitgeschichte

Georg Denzler
Widerstand oder Anpassung?
Katholische Kirche und Drittes Reich.
154 Seiten. Serie Piper 294

Theodor Eschenburg
Die Republik von Weimar
Beiträge zur Geschichte einer improvisierten Demokratie.
335 Seiten. Serie Piper 356

Joachim C. Fest
Das Gesicht des Dritten Reiches
Profile einer totalitären Herrschaft. 515 Seiten. Geb.
(Auch in der Serie Piper 199 lieferbar)

Imanuel Geiss
**Das Deutsche Reich und die Vorgeschichte
des Ersten Weltkriegs**
261 Seiten. Serie Piper 442

Imanuel Geiss
Das Deutsche Reich und der Erste Weltkrieg
253 Seiten. Serie Piper 443

Werner Hilgemann
Atlas zur deutschen Zeitgeschichte
1918–1968. 208 Seiten und über 100 farbige Karten.
Serie Piper 328

Peter Hoffmann
Widerstand gegen Hitler
Probleme des Umsturzes. 104 Seiten. Serie Piper 190

P<small>IPER</small>

Bücher zur Zeitgeschichte

Peter Hoffmann
Widerstand Staatsstreich Attentat
Der Kampf der Opposition gegen Hitler.
1003 Seiten mit Karten, Skizzen und 8 Fotos. Serie Piper 418

Ernst Nolte
Der Faschismus in seiner Epoche
Action française, Italienischer Faschismus, Nationalsozialismus.
633 Seiten. Serie Piper 365

Ernst Nolte
Die Krise des liberalen Systems und die faschistischen Bewegungen
475 Seiten. Leinen

Ernst Piper
Ernst Barlach und die nationalsozialistische Kunstpolitik
Eine dokumentarische Darstellung zur »entarteten Kunst«.
283 Seiten mit 18 Abbildungen. Geb.

Der Weg ins Dritte Reich
1918–1933. 221 Seiten. Serie Piper 261

Gerhard Tomkowitz / Dieter Wagner
»Ein Volk, ein Reich, ein Führer!«
Der »Anschluß« Österreichs 1938. 393 Seiten. Serie Piper 796

Der Widerstand gegen den Nationalsozialismus
Die deutsche Gesellschaft und der Widerstand gegen Hitler.
Vorwort von Peter Treue. Hrsg. von Jürgen Schmädeke und Peter Steinbach.
1185 Seiten. Serie Piper 685

Piper 50/3c

PIPER